Jo Frost

Superbabá

Como tornar seu filho a melhor criança que ele pode ser

Tradução
Alessandra Mussi

Título original: *Supernanny: How to Get the Best from Your Children.*

Copyright © 2005, Channel 4.

Copyright da edição brasileira © 2006 Editora Pensamento-Cultrix Ltda.

2ª edição 2011 – 1ª reimpressão 2013.

Tradução autorizada da primeira edição inglesa publicada em 2005 por Hodder and Stoughton, uma divisão da Hodder Headline.

Todos os direitos reservados. Nenhuma parte desta obra pode ser reproduzida ou usada de qualquer forma ou por qualquer meio, eletrônico ou mecânico, inclusive fotocópias, gravações ou sistema de armazenamento em banco de dados, sem permissão por escrito, exceto nos casos de trechos curtos citados em resenhas críticas ou artigos de revistas.

A Editora Seoman não se responsabiliza por eventuais mudanças ocorridas nos endereços convencionais ou eletrônicos citados neste livro.

COORDENAÇÃO EDITORIAL Manoel Lauand

CAPA E PROJETO GRÁFICO Gabriela Guenther

FOTO DA CAPA Adam Lawrence

DADOS INTERNACIONAIS DE CATALOGAÇÃO NA PUBLICAÇÃO (CIP)

Frost, Jo
 Superbabá : como tornar seu filho a melhor criança que ele pode ser / Jo Frost ; tradução Alessandra Mussi. -- 2. ed. -- São Paulo : Seoman, 2011.

 Título original: Supernanny : how to get the best from your children.
 ISBN 978-85-98903-05-7

 1. Crianças - Formação 2. Disciplina infantil 3. Educação de crianças 4. Família 5. Pais e filhos 6. Responsabilidade dos pais I. Título. II. Série.

11-04470 CDD-649.64

Índices para catálogo sistemático:
1. Crianças : Disciplina : Vida familiar   649.64

Seoman é um selo editorial da Pensamento-Cultrix.

Direitos de tradução para o Brasil adquiridos com exclusividade pela
EDITORA PENSAMENTO-CULTRIX LTDA.
R. Dr. Mário Vicente, 368 – 04270-000 – São Paulo, SP
Fone: (11) 2066-9000 – Fax: (11) 2066-9008
E-mail: atendimento@editoraseoman.com.br
http://www.editoraseoman.com.br
que se reserva a propriedade literária desta tradução.
Foi feito o depósito legal.

Agradecimentos de Jo

Muitas pessoas ajudaram a fazer este livro. Gostaria de poder agradecer a todas individualmente, mas são tantos nomes! Por onde devo começar?

Bem, muito, muito obrigada a todos que trabalharam com tanto afinco no livro, na Ricochet Productions, à criativa equipe de apoio que o layout do livro e à turma da Hodder que trabalhou na distribuição.

Um agradecimento especial às famílias que tornaram a série possível, às famílias com as quais trabalhei durante anos e à minha família e amigos – vocês sabem de quem estou falando! – por todo o apoio.

Por último, mas não menos importante, quero agradecer a Sue Ayton e Liz Wilhide por me ajudarem a descobrir meu estilo.

Este livro é dedicado a minha mãe, Joa Frost, um anjo da guarda ainda ao meu lado, e a meu pai, Michael Frost. Obrigada por todo o amor e apoio incondicionais. Sinto-me muito abençoada por tê-los como pais. Matthew, você sempre será meu "pequeno Mattsu".

Amo vocês,
Jo

Sumário

Introdução 7

TÉCNICAS BÁSICAS

Idades e estágios 19

Rotinas e regras 49

Definindo limites 69

SOLUÇÃO DE PROBLEMAS

A troca de roupa 101

Treino de toalete 119

Alimentação 135

Habilidades sociais 165

Hora de ir para a cama 195

Tempo de qualidade 223

Introdução

Um dia, não faz muito tempo, quando trabalhava como babá de duas meninas pequenas, saímos todas para o parque. Era um dia quente e as garotas usavam bandanas na cabeça. Depois de brincarmos um pouco, uma mulher me abordou:

– Como você consegue isso? – perguntou-me admirada. Como fez com que elas não tirassem as bandanas? Olhei para ela e cochichei:

– Superbonder... Só um filetinho na testa.

Por sua expressão de horror, creio que, por uma fração de segundo, ela chegou a acreditar em mim, mas logo percebeu que eu estava brincando.*

Não é preciso dizer que você não encontrará alguma técnica que envolva Superbonder neste livro. Nada que possa prejudicar as crianças de modo algum – física, mental ou emocionalmente. Apresento maneiras sensatas para lidar com o tipo comum de desafios e problemas que a maioria dos pais de crianças com menos de cinco anos enfrenta no dia-a-dia. Não inventei as técnicas. Suspeito que não há uma pessoa neste mundo que possa reivindicar que as inventou do nada. Quase sempre sigo meus instintos e observo os pais e filhos para descobrir o que funciona ou não. O que chamo de "Técnica do envolvimento", por exemplo, é simplesmente o que muitos pais fazem por instinto há muito tempo quando precisam desempenhar suas incumbências domésticas. A "Técnica do Degrau do Malcriado" – um meio de impor uma regra fazendo com que a criança pense sobre seu comportamento – provavelmente é tão antiga quanto o advento de escadas em casa e de quartos com cantos.

Não acordei numa bela manhã e decidi ser babá. A coisa toda simplesmente aconteceu. Porém, pensando bem, meu primeiro trabalho foi em uma loja para gestantes. Portanto, não é surpresa que tenha acabado trabalhando com crianças.

Gosto muito de conhecer pessoas e adoro crianças. Meus pais sempre brincam, dizendo que eu era uma verdadeira tagarela quando pequena – e parece que nada mudou! Meus pais acabavam conhecendo várias pessoas nas férias porque eu me tornava amiga dos filhos deles. Quando cresci, trabalhei muito como babá em fins de semana ou em meio período. Consegui meu primeiro emprego fixo respondendo a um anúncio fixado no quadro de avisos de uma livraria.

Quinze anos e muita vivência depois, já fui babá permanente e temporária e babá especialista na solução de problemas. Acompanhava famílias em férias, mudava de casa e até mesmo de continente com elas. Cuidei de crianças de várias idades: desde recém-nascidos até adolescentes de 14 anos. Atendi telefonemas de inúmeros pais preocupados às duas horas da manhã, bem como de amigos dessas famílias para as quais trabalhei. Desde a primeira temporada do programa *Supernanny*, tenho recebido um número surpreendente de cartas de pessoas que nunca vi, mas que experimentaram as técnicas apresentadas no programa e estavam ansiosas em contar sobre as mudanças ocorridas em suas vidas. É maravilhoso saber suas histórias e receber esse feedback positivo.

Algumas dessas cartas salientavam que não sou mãe. É verdade. Não sou pediatra, tampouco psicóloga infantil. Não possuo treinamento formal em meu trabalho, o que me coloca na mesma posição da maioria dos pais, sem o intenso apego emocional (apesar de nós, babás, também termos sentimentos!).

A grande diferença é que tenho muitos anos de experiência cuidando de todos os tipos de crianças, de todas as idades, e que não estou enfrentando esse tipo de desafio pela primeira vez. Já vi crianças sendo desmamadas, saindo das fraldas, ganhando os primeiros dentinhos, tendo ataques de raiva e indo para o primeiro dia na escola. Nesses anos todos, tenho observado comportamentos, ouvido pessoas conversarem sobre questões relacionadas à educação dos filhos e, o mais importante, tenho ouvido meus próprios instintos.

Tão logo comecei a trabalhar, descobrir que ser babá não é simplesmente tomar conta de crianças e executar as tarefas afins. De alguma forma, você constrói a ponte entre a criança e os pais. Essa situação coloca você na posição única de observar como as famílias funcionam. Esta é a dinâmica que constantemente me fascina: o modo como tudo está ligado e relacionado. Pode-se ver isso claramente quando se está em uma posição objetiva, sem a grande carga dos sentimentos. O problema é que quando muitos pais se encontram em dificuldades, estão tão envolvidos emocionalmente na situação que não conseguem enxergar o panorama mais amplo.

Este livro é uma maneira de ajudar os pais a se afastarem um pouco e enxergarem o que está em sua volta. É o que eu faço no *Supernanny* quando trabalho com cada família que enfrenta problemas, porque simplesmente adotaram, sem perceber, um padrão que as mantêm no mesmo velho círculo vicioso. Não acredito que existam crianças "más". Creio que cada criança tem potencial para comportar-se de maneira adequada. Não estou dizendo que todos sejam anjinhos. Falo de crianças felizes, tranqüilas, com suas características individuais, mas que sabem quais são os limites.

Tudo o que vi e vivi provou-me que crianças precisam de limites e que para mantê-los no lugar, é necessário ter disciplina. Não se trata de punições severas. Na verdade, grande parte do segredo é o elogio. A questão é definir regras e exercê-las por meio de controle justo e firme.

Muitos pais têm dificuldade de disciplinar seus filhos, talvez com medo de perder o amor das crianças. Como resultado, os pequenos assumem o comando quando não estão preparados para tanto. Além disso, para uma criança, a liderança é uma posição confusa e incômoda.

Imagine que você entrou em um banco para descontar um cheque e pediram a você para assumir o cargo do gerente. Sem treinamento e sem experiência, você não teria a menor idéia do que fazer. O mesmo acontece com as crianças que se vêem no controle de uma situação para a qual não estão prontas mentalmente.

Fui uma criança segura e amorosa. Fui abençoada com pais que me proporcionaram autoconfiança e me ensinaram que o céu é o limite. Nenhum deles jamais quebrou uma promessa. Minha mãe era uma inspiração. Ensinou-me muito sem que eu sequer percebesse. Meu pai me transmitia segurança – o mundo não poderia me tocar. Se eu ficasse preocupada com alguma coisa, sentávamos, conversávamos e ele me tranqüilizava. Ao mesmo tempo, porém, meus pais insistiam em padrões, em demonstrações de respeito e boas maneiras, no modo como nos tratávamos em casa e com os outros. No entanto, eu não deixava de ser criança, de ficar imunda e divertir-me como toda criança, sem as preocupações do mundo sobre meus ombros.

Não é fácil criar filhos hoje em dia. Nossa sociedade mudou. Quando eu era pequena, podia ir ao parque com meu irmão, Matthew, sem que meus pais ficassem em pânico. As pessoas nem trancavam a porta de casa. Atualmente, os pais se preocupam o tempo todo. Todos os dias ouvimos histórias apavorantes na mídia sobre os perigos e males para crianças e, na semana seguinte, essas mesmas descobertas são refutadas. É difícil saber o que fazer. Ao mesmo tempo, parece que ser pai e mãe tornou-se uma verdadeira competição. É complicado relaxar e confiar em seus instintos quando os outros pais não param de contar como seus filhos são precoces e bem-comportados.

No passado, era comum ter os avós e outros familiares por perto para dar apoio e conselhos. Muitos pais, atualmente, não contam com esse sistema de suporte. Quando o pai e a mãe trabalham, há mais estresse e isolamento. Quando apenas um dos pais cuida das crianças sozinho, a situação é ainda mais difícil. Em uma pesquisa recente com famílias da Inglaterra, feita para a Parent Talk, entidade filantrópica, um terço dos pais se considerava um fracasso. Isso é realmente uma pena.

Alguns encaram a paternidade com simplicidade, agindo por instinto, como os patos ao aprender a nadar. Outros, não. Criar filhos é simplesmente mais uma das atividades que precisamos aprender, compreender e praticar. Quando mais você conhece, lê e conversa com pessoas a respeito, maior sua autoconfiança e sua capacidade de ter um estilo próprio e de fazer suas próprias escolhas. Seja confiante. O modo como você cria seus filhos é uma escolha única e exclusivamente sua.

Ser pai ou mãe é o papel mais importante que você desempenhará em toda a sua vida. Trata-se, literalmente, de fornecer aos filhos as bases sólidas para o resto da vida. Mas não precisa ser uma missão tão extenuante. Ser pai ou mãe deve ser uma alegria.

Quando surgiu a oportunidade de envolver-me no projeto *Supernanny* (mais uma vez por meio de um anúncio; dessa vez numa revista), percebi que seria a chance de transmitir algumas idéias e mensagens das quais tenho muita convicção. Fizemos um programa-piloto, que consistiu em mostrar a uma mãe sozinha como controlar seus quatro filhos. Juntas, aplicamos algumas técnicas sobre disciplina, controle e elogios com excelente resposta. O resultado final foi uma mãe satisfeita, quatro crianças felizes e sob controle e, duas semanas depois, lá estava eu com uma série para a TV.

Para mim, o *Supernanny* foi e continua sendo uma oportunidade maravilhosa de compartilhar a experiência e as lições que aprendi trabalhando com famílias, além de ser uma chance de retribuir de alguma forma.

Curtam seus filhos.

*... – Então, como você faz para uma criança não tirar as bandanas?

– É fácil. Quando ela tira a bandana, eu peço para colocá-la de volta. Ela tira a bandana e eu peço para colocá-la de volta. Ela tira a bandana e eu peço para colocá-la de volta. Ela tira a bandana e eu peço para colocá-la de volta...

MINHAS *10* REGRAS DE OURO

Se pudesse estabelecer um ranking de meu método para cuidar de crianças, estas seriam minhas dez regras de ouro, baseadas em observação, não em teoria. Elas se aplicam a quase todas as situações e você encontrará um resumo delas no fim de cada capítulo, na seção solução de problemas, em que especifico melhor como aplicá-las em diferentes casos.

1. ELOGIOS E PRÊMIOS
As melhores recompensas são atenção, elogios e amor. Doces, mimos e brinquedos não são necessários como recompensas. Um quadro de estrelinhas ou um passeio especial podem fortalecer um padrão de bom comportamento.

2. CONSISTÊNCIA
Depois de estabelecer uma regra, não abra mão dela em troca de sossego ou porque se sente constrangido. Assegure-se de que todos – e isso inclui seu parceiro e a babá – sigam as mesmas regras. Afinal, regra é regra.

3. ROTINA
Mantenha sua casa razoavelmente em ordem e siga uma rotina. Ter horário para acordar, fazer as refeições, tomar banho e ir para a cama são os alicerces da vida em família. Uma vez estabelecida a rotina, você pode ser um pouco flexível, nas férias, por exemplo. Embora seja um esquema, a rotina não precisa ser rígida.

4. LIMITES

Crianças precisam saber quais são os limites de seu comportamento, ou seja, o que é aceitável ou não. É fundamental definir regras e dizer às crianças o que se espera delas.

5. DISCIPLINA

Você apenas conseguirá manter os limites através da disciplina. Isso significa ter que manter um controle firme e justo. Muitas vezes, basta falar com autoridade e dar um aviso para dar o recado. Se isso não funcionar, há outras técnicas a serem usadas e nenhuma delas envolve punição.

6. AVISOS

Há dois tipos de aviso. Um diz à criança o que ela deve fazer – por exemplo, quando você avisa que está quase na hora do banho ou que está arrumando a mesa para o almoço. O outro é uma advertência quanto a um mau comportamento, e oferece a ela uma chance de se corrigir sem precisar de outra ação disciplinar.

7. EXPLICAÇÕES

Uma criança pequena não consegue entender como deve se comportar a menos que você lhe diga como. Mostre e diga o que espera dela. Não argumente nem dê explicações complicadas – atenha-se apenas ao óbvio. Ao disciplinar uma criança, explique o motivo da maneira mais adequada para a sua idade. Pergunte se ela entendeu porque foi repreendida para certificar-se de que a mensagem foi captada com êxito.

8. AUTOCONTROLE
Mantenha a calma. Você é o pai ou a mãe e está no comando. Não reaja a um ataque de raiva com uma atitude irada nem responda a um grito com outro mais alto ainda. Você é o adulto. Não deixe que as crianças o enrolem.

9. RESPONSABILIDADE
O objetivo da infância é o crescimento. Atribua às crianças pequenas tarefas que lhes permitam fortalecer sua autoconfiança e aprender habilidades necessárias na vida e na sociedade. Envolva seus filhos na vida familiar, mas alimente expectativas razoáveis. Não os coloque em situações envolvendo o risco de fracasso.

10. RELAXAMENTO
Sossego é importante para todos, incluindo você. Deixe seu filho relaxado na hora de ir para cama com uma história e muitos afagos. Dedique um tempo para você e, dê atenção para seu parceiro e para os outros filhos.

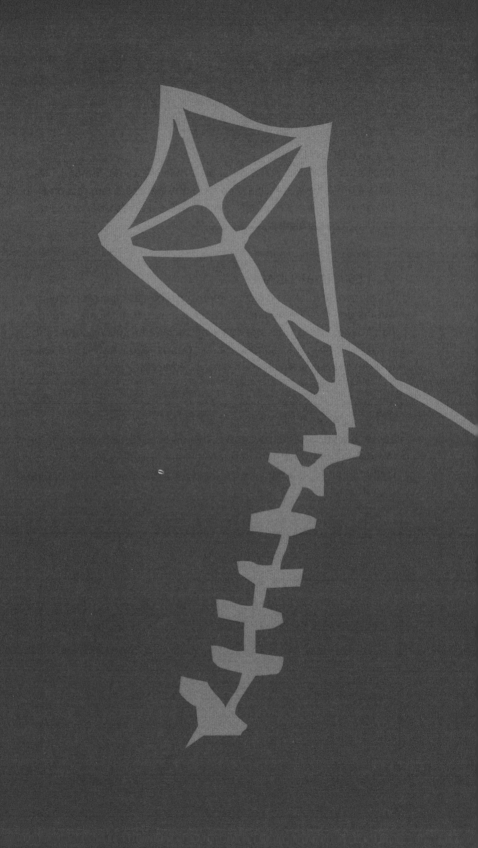

Idades e estágios

Os primeiros cinco anos da infância são uma época de mudanças em todas as áreas: física, mental e emocional. As transformações físicas são facilmente identificadas. Num piscar de olhos, aquele lindo pacotinho que você trouxe da maternidade já se senta, engatinha e começa a dar os primeiros passos cambaleantes. Em pouco tempo, ele aprende a escalar as grades do berço e consegue chegar a qualquer lugar.

A transformação na mente de seu filho é tão marcante quanto as conquistas físicas, porém, bem menos óbvias. Entre o nascimento e os cinco anos de idade, ele fará enormes avanços no modo como entende o mundo e se relaciona com os outros.

– Jemima ainda não anda? Molly andou aos nove meses.

Não exagero quando digo que há muita competitividade vinculada à criação dos filhos hoje em dia. O objetivo deste capítulo não é deixá-lo ansioso, caso seu filho não tenha atingido uma determinada "meta" nem sugerir que você deve dar um tapinha em suas costas se ele estiver adiantado em alguma etapa. A idéia é simplesmente mostrar quais são as expectativas razoáveis para cada estágio. Ou, mais importante ainda, o que não se deve esperar.

Conhecer as etapas do desenvolvimento da criança o ajudará a ajustar sua atitude como pai ou mãe ao estágio em que seu filho se encontra. Em meu trabalho, é comum encontrar pais que tentam "argumentar" com uma criança pequena demais para seguir uma conversa lógica. Já vi adultos pedirem para uma criança com menos de três anos escolher entre uma grande variedade de opções quando não tem a menor condição de tomar esse tipo de decisão.

Tão logo a criança começa a falar, é espantoso como os pais parecem se esquecer rapidamente de que não estão lidando com uma miniatura de um adulto genioso, mas com alguém que enxerga o mundo de maneira ainda muito elementar. Do mesmo modo como não se espera que um bebê de seis semanas fique em pé, não se deve esperar que uma criança de dois anos tenha habilidades mentais e sociais iguais à de outra com o dobro dessa idade.

Tudo isso causa um impacto direto em como você cuida de seus filhos. A compreensão de como os filhos mudam e crescem – tanto interna quanto externamente – ajuda aos pais a atender as necessidades das crianças de maneira adequada e no ritmo delas.

O BEBÊ: DO NASCIMENTO AOS 6 MESES

Um bebê recém-nascido não tem idéia do que é uma pessoa. Não sabe se a pessoa que o segura é sua mãe nem tem noção de que se trata de outro indivíduo. No entanto, reage assim que vê um rosto, quando alguém o pega no colo ou quando ouve sua voz. Isso acontece porque, no fundo, ele sabe que sua sobrevivência dependerá de fazer com que alguém satisfaça suas necessidades regularmente. E esse alguém é você.

Estudos mostram que os bebês conseguem ouvir ainda no ventre e cogita-se que podem até reconhecer a voz da mãe quando nascem. As mães, por outro lado, demoram um pouco para reconhecer o choro do filho e mais ainda para entender o que cada choro significa. Fome? Gases? Sono? O que nenhuma mãe pode negar é que o choro funciona.

Os primeiros meses formam uma curva de aprendizagem íngreme. Com o primeiro filho, você se sente numa montanha russa – ora com o moral nas alturas, ora lá embaixo – e um tanto cansada na maior parte do tempo. O mais importante nessa fase não é sua destreza ao trocar uma fralda, mas atender as necessidades do bebê, o que significa atender as suas necessidades também.

Não é possível "estragar" um bebê. Ao contrário do que sua mãe ou avó possam dizer, seu bebê é pequeno demais para manipulá-la – essa etapa deliciosa ainda está por vir! Quando responde ao choro do bebê, você não está se "rendendo" a seus caprichos, mas cuidando de seu filho com amor. Sempre que você age assim, a criança aprende a confiar que suas necessidades serão atendidas no futuro.

Deixar um bebê pequeno chorar por longos períodos nos quatro primeiros meses de vida não o ensinará a esperar um pouco mais pelo alimento, até a hora mais conveniente para você. Isso não o ensinará que ele não precisa ficar em seu colo por mais tempo. Também não o ensinará a voltar a dormir.

Essa atitude apenas o ensinará que não há quem se preocupe com ele e que não há nada que ele possa fazer a respeito.

Do mesmo modo, disciplina não funciona nos primeiros meses de vida. Isso não quer dizer que os bebês não se sintam mais seguros quando seguem uma rotina. Nas primeiras semanas, pode haver uma considerável inconstância nos horários de comer e dormir. Entre a terceira e a sexta semana, você, provavelmente, achará tudo bem mais previsível.

Não é possível impor um horário de sono a um bebê de dois meses, mas pode-se facilmente implementar uma rotina alimentar. Comece observando a quantidade de leite que seu filho ingere. Se ele chorar depois de mamar, pode ser que sinta mais fome do que a maioria dos bebês e precise de uma quantidade maior. Entre a terceira e a sexta semana de vida, à medida que passam a tomar mais leite, muitos bebês entram na rotina de alimentarem-se em intervalos de duas a quatro horas.

Agora há duas opções: seguir o fluxo ou usar um padrão para desenvolver uma rotina. Você é quem sabe. Mas lembre-se de que, como pai ou mãe, você detém mais controle sobre a situação do que pensa. Se parece que seu bebê espera ser alimentado nos mesmos horários todos os dias, mas isso implica que você terá de levantar-se várias vezes durante a noite, é possível mudar a situação alimentando-o mais cedo até atingir intervalos mais convenientes. Às vezes, quando mama às 11 da noite, o bebê consegue agüentar sem outra mamada até as quatro da manhã.

Bebês requerem muitos cuidados físicos tão logo chegam ao mundo – mamadas, troca de roupas, banho, colo. Mas também precisam de estímulos. Ainda não conseguem falar, mas adoram ouvir sua voz e observar seu rosto. Continue se comunicando e logo você será recompensado com o primeiro sorriso. Pouco depois começará a balbuciar em resposta, tentando imitar os sons que você faz para ele.

BEBÊS PEQUENOS ADORAM:

- Montes de beijos.
- Contato físico próximo – afagos, colo, massagem.
- Observar rostos – nas primeiras semanas de vida, o rosto humano é o melhor brinquedo de todos.
- Ser ninados e embalados.
- Música e o som de sua voz.
- Objetos coloridos a uma distância razoável, especialmente os que se movem.

ESTRATÉGIAS PARA DAR CONTA DO RECADO:

- Não perca nenhuma chance de descansar. Concilie o seu sono com o do bebê.
- Mantenha as coisas em ordem, mas não espere atingir a perfeição doméstica.
- Conte com a ajuda de seu parceiro, amigos e de sua mãe nas tarefas – qualquer pessoa que com quem você possa dividir responsabilidades como cozinhar, fazer compras etc.
- Reserve ao menos um pouco de tempo para as outras pessoas importantes de sua vida – seu parceiro e os outros filhos, por exemplo – para eliminar qualquer ressentimento ou ciúme.
- Divida as tarefas relacionadas ao bebê – banho, troca de roupas e fraldas.
- Sinta-se um ser humano novamente. Permita-se alguns mimos, como ir ao cabeleireiro.

O BEBÊ UM POUCO MAIS VELHO: DOS 6 AOS 18 MESES

Mudanças incríveis ocorrem nos seis primeiros meses de vida. O indefeso recém-nascido se transforma em um bebê que consegue manter a cabeça erguida, virar-se no berço, segurar um brinquedo, sorrir, rir, balbuciar e reconhecer a mamãe, o papai, os irmãos e outros rostos familiares. Começa a ingerir alimentos sólidos e beber em canequinha. No segundo semestre de vida, seu bebê começa realmente a explorar o mundo.

Nesse estágio, um pouco antes ou depois do primeiro aniversário, o desenvolvimento físico impulsiona o bebê a arriscar os primeiros passos, e ele começa a andar quase sempre por volta dos 18 meses de vida. Com mobilidade cada vez maior, seu bebê já consegue rolar e engatinhar e não precisa mais esperar que o mundo chegue até ele, pois consegue ir atrás do que quer. E, ao alcançar o objeto de desejo, ele geralmente o leva até a boca. Se você ainda não tiver tomado algumas medidas de segurança para a criança e reforçado os cuidados com a limpeza da casa, chegou a hora de pensar seriamente a respeito – leia o tópico *Providências importantes*, na página 44.

Seu bebê se parecerá mais com uma pequena pessoa a cada dia, com coisas que o agradam e outras que o desagradam e com personalidade própria. Comer e dormir serão atividades bem mais fáceis; do contrário, você pode adotar algumas das estratégias apresentadas mais adiante neste livro. Mas, não se esqueça de que, até um ano de idade, seu filho ainda é um bebê. Quando chora, quer avisar que precisa de alguma coisa ou que algo o incomoda – pode ser um simples "não" que você tenha dito a ele. Nessa fase, aplica-se o mesmo princípio dos recém-nascidos: não se pode "estragar" uma criança com menos de um ano.

Às vezes, bebês nesse estágio alcançam coisas que não deveriam. Um bebê puxa uma xícara da prateleira porque:

a) consegue e

b) ninguém o impediu.

Não faz isso para aborrecê-lo ou desafiá-lo nem por ser malcriado. Age assim simplesmente porque sua missão de exploração o levou a esse alvo. "Olha! Uma coisa lisa e azul! Vamos colocar na boca para ver o que é? Opa, pesado demais! Onde foi parar?"

Você não pode disciplinar um bebê de dez meses, mas pode e deve avisá-lo para não fazer alguma coisa. Use um tom de voz firme e baixo ao dizer "não" ou ao pedir para que ele não mexa em algum lugar. Também é possível dar uma breve explicação. "Isto está quente". O bebê não entenderá as palavras, mas responderá ao seu tom de voz e assim você adquire o hábito de explicar, o que será muito mais importante depois.

Em vários aspectos, essa é uma idade deliciosa; em outros, é uma fase de testes. É preciso estar um passo à frente no jogo; "ter olhos nas costas" vem a calhar. Você não conseguirá realizar tantas tarefas enquanto o bebê estiver acordado porque ele se movimentará mais e ficará acordado por mais tempo. Nesse período, você também perceberá que o bebê chamará cada vez mais sua atenção na forma de brincadeiras. Ele ainda não consegue fazer muita coisa sozinho, mas tem idade suficiente para ficar entediado quando não é suficientemente estimulado. Colocá-lo num cercado cheio de brinquedos e objetos atraentes aos olhos pode ajudar a distraí-lo por períodos curtos. No entanto, não deixe a criança no cercado ou no berço quando você está nervoso ou cansado ou quando ela está chorando, pois o bebê associará o local a sentimentos ruins.

DENTIÇÃO

Se o tédio é um novo motivo para chorar nessa idade, o mesmo ocorre com o nascimento dos dentes. Logo agora que você está feliz em ter alcançado uma certa rotina, chega o monstro do dente para estragar seus planos. O primeiro dente, que aparece por volta dos seis meses, costuma ser uma surpresa tanto para os pais quanto para o bebê. A partir de então, você saberá identificar os sinais do surgimento dos próximos.

Depois do primeiro dente, o segredo é saber se outros dentinhos estão rompendo, se o bebê está doente ou simplesmente tendo um dia ruim. Se sua temperatura subir muito ou se a criança apresentar outros sinais de doença, é preciso levá-la ao médico o quanto antes. Se o bebê está apenas irritado e não apresenta outros sinais, provavelmente não é por causa da dentição.

SINAIS DO NASCIMENTO DOS DENTES:

- Bochechas vermelhas. Chamo isso de bochechas de "jogo da velha" porque a vermelhidão geralmente aparece como linhas finas cruzadas.

- Salivação abundante (baba).

- Morder tudo com força.

- Pequenas bolhas claras nas gengivas.

- Febre baixa; a temperatura da criança não sobe mais do que um grau. Se a febre subir, procure um médico.

- Fezes com odor mais acentuado do que o de costume – o cheiro é inconfundível.

- Assaduras, às vezes.

- A criança pode chorar irritada, acordar no meio da noite. Afinal, isso dói!

- Leve perda de apetite.

SOLUÇÕES

- Mordedores de borracha firme. Alguns podem ser colocados na geladeira para ficarem mais rígidos.

- Pós fitoterápicos para dentição.

- Analgésicos suaves para aliviar a dor.

- Muito carinho e compreensão.

ANSIEDADE DE SEPARAÇÃO

Outra característica desse estágio é que o bebê geralmente mostra sinais de apego cada vez maior em relação à mãe, preferindo-a a qualquer outra pessoa. Esse sentimento costuma ser manifestado na forma de protesto ou angústia quando a mamãe sai do ambiente ou mesmo quando caminha em direção à porta. Enquanto você está no raio de visão do bebê, ele fica feliz, mas assim que não consegue mais vê-la, começa a chorar. A intensidade e a duração dessa fase de apego varia em cada criança, porém costuma ter seu ápice por volta dos nove meses e diminui, gradualmente, depois, ressurgindo novamente aos 18 meses. Comumente chamada de "ansiedade de separação", essa fase é considerada um sinal de que o bebê tem idade suficiente para ter lembranças e fazer comparações. Ele sabe que você está saindo e que não vai gostar nada disso, pois foi o que sentiu em sua última ausência.

Quando você mal consegue ir ao banheiro sem disparar um berreiro, descobre que sua paciência está tão esgarçada quanto sua bexiga. Se você programou seu retorno ao trabalho para esse período, talvez descubra que seus planos não combinam com esse estágio especial do desenvolvimento do bebê.

ALIVIANDO A ANSIEDADE DE SEPARAÇÃO:

- Verifique se seu filho não está doente ou sob estresse emocional. As crianças também podem chorar compulsivamente por outros motivos.

- Tranqüilize seu parceiro, explicando que ele não fez nada de errado e que o bebê não prefere você a ele! O papai pode sentir-se excluído no auge da ansiedade de separação. É importante saber que esse comportamento é passageiro e que ele pode colaborar de outras maneiras.

- Aceite o fato de que esse estágio passará. A pior fase dessa ansiedade é antes do primeiro aniversário.

- Não se deixe invadir por sentimentos de raiva e privação da liberdade. Respire fundo quando começar a sentir-se sobrecarregada ou tensa.

- Se tiver de sair do cômodo rapidamente por pouco tempo, continue conversando com o bebê para que ele saiba que você continua por perto.

- Não desapareça quando ele não está olhando.

- Se precisar deixar seu filho com outra pessoa nesse período, dê um tempo suficiente para que ele se acostume com a pessoa. Isso ajuda a deixar o bebê mais seguro.

- Gosto de brincar de *peekaboo* (esconde-esconde) com crianças pequenas, pois ajuda a ensinar-lhes que, mesmo fora de seu raio de visão, ainda estou ali. Às vezes cubro a cabeça com o lençol ou deito na cama e fico totalmente enrolada no edredom. Com crianças maiores, dou uma de mágico e aplico o velho truque dos três copos, fazendo com que a bolinha desapareça sob um deles. Quando se divertem, as crianças aprendem mais rápido.

A PRIMEIRA INFÂNCIA:
DOS 18 MESES AOS TRÊS ANOS

Depois que a criança começa a andar, as coisas tornam-se ainda mais interessantes. É como se fosse uma sonda da NASA lançada num estágio de mobilidade totalmente novo. Tudo se torna muito mais interessante e apetitoso. A fala ainda não está totalmente desenvolvida, mas até os 18 meses, muitas crianças já dizem algumas palavras reconhecíveis. Uma delas muito provavelmente será "não".

Isso nos leva à parte realmente interessante. Dessa idade até perto dos três anos, seu filho deixa de ser um bebê e passa ser um menininho ou menininha, mas ainda não desenvolveu as habilidades físicas, mentais ou sociais que terá aprendido em seu primeiro dia na escola. Como na adolescência, seu filho está numa fase de transição. Às vezes é um momento interessante, outras vezes, não – tanto para você quanto para ele. Isso nos remete a outro acontecimento inédito: o Primeiro Acesso de Ira.

Diferentemente do estágio anterior, quando o mundo era algo maravilhoso e surpreendente a ser explorado, nessa fase a criança rapidamente descobre que o mundo – incluindo você – muitas vezes existe simplesmente para impedi-la de conseguir o que quer, quando quer, ou seja, AGORA. O bebê mal começou a explorar sua maior mobilidade física. Pela primeira vez, tem uma idéia do que é ser um pequeno indivíduo com vontade própria. O problema é que ele ainda não está preparado para isso, por um forte motivo: a parte do cérebro que proporcionará o autocontrole necessário ainda não está totalmente desenvolvida. Embora lute por independência, a criança ainda depende muito de você.

Mesmo quando seu filho consegue falar com certa desenvoltura e parece entender o que você diz, a mente dele funciona de maneira muito diferente da sua. Até os dois anos e meio, há inúmeras coisas cruciais que a criança simplesmente não consegue fazer ou entender.

Essa fase, que costumava chamar de "Terríveis dois anos", tem estágios característicos. No início dessa fase, geralmente antes dos dois anos, a criança quase não controla seus impulsos e costuma frustrar-se com sua própria incapacidade de fazer algo ou com o mundo ao seu redor. Mais tarde, por volta dos três anos ou mais, ela terá amadurecido um pouco mais e você poderá esperar um certo autocontrole. Não muito, é bom lembrar.

Embora seja um desafio, essa etapa não precisa ser ruim se você encará-la com expectativas sensatas. Crianças com menos de três anos podem ser barulhentas, ilógicas, cansativas e imprevisíveis. Contudo, também são engraçadas, carinhosas, animadas e cheias de vida. Aproveite essa fase enquanto pode.

ESTRATÉGIAS DE CONVIVÊNCIA

Argumentar, implorar, barganhar, ameaçar – nada disso funciona com crianças desse grupo. Para que tais estratégias funcionassem, seu filho precisaria de capacidades que simplesmente ainda não têm.

Definir limites, rotina e um controle firme e justo são medidas que funcionam. No início dessa fase, seu filho fará tudo o que estiver ao seu alcance para ser o dono do pedaço e conseguir o que quer. Às vezes, pode parecer que está num eterno momento de loucura – por exemplo, quando ele empurra outra criancinha no parque e você quase morre de vergonha. Mas ele não está agindo com maldade nem sendo agressivo de propósito. Simplesmente está recorrendo ao comportamento físico porque não consegue resolver o que sente verbalmente.

Isso não significa que você deve se render ou fazer vista grossa. Muito menos que deve tentar parar o tempo e boicotar todas as tentativas de independência da criança – mesmo reconhecendo a confusão que causam e o tempo que lhe tomam. Nesse estágio, não importa se o pequeno lambuza o rosto, a mesa e o chão com o jantar com o intuito de aprender a comer sozinho. O que importa mesmo é se ele está usando todas as armas de uma criança dessa idade – gritar, chutar, jogar-se no chão num acesso de raiva – para virar a casa de cabeça para baixo e impor sua vontade. O que ele precisa agora são limites claros e a noção de que, no mundo, há alguém maior e que ele não pode controlar: você.

É então que a constância começa a se tornar um problema real. Antes, se a criança percebesse qualquer diferença no cuidado recebido, não saberia como usar isso em seu favor. Agora, porém, ela descobrirá que há muito a ganhar com a estratégia de "dividir para conquistar" – a primeira tática de manipulação que os pequenos aprendem. E aprendem rápido.

Se você não representar uma frente unida ou se mudar de tom de acordo com seu humor, seu filho encontrará essa brecha em sua armadura, como um míssil com detector de calor.

ACESSOS DE IRA

É pouco provável que seu filho chegue aos três anos sem, ao menos uma vez, jogar-se ao chão e sapatear, dando um verdadeiro show, também conhecido como acesso de ira. Algumas crianças são mais propensas a "chiliques" que outras e parecem ter um pavio mais curto. Talvez seja apenas um traço de personalidade.

O acesso de ira ocorre quando o pequeno investe contra o mundo sem que esse reaja. Pode ser disparado por várias coisas, mas sua origem é sempre alguma forma de frustração. São várias as hipóteses: a criança descobriu que não pode fazer alguma coisa desejada, pois ainda não tem as habilidades necessárias, ou obteve um resultado diferente do esperado em alguma situação, ou você a impediu de fazer algo que ela queria fazer, ou você tentou fazer uma coisa contra a vontade dela – ou simplesmente o pequeno atingiu seu limite emocional. Seja qual for o motivo, o pavio chega ao fim e ocorre uma explosão.

Já é bastante desagradável quando o chilique acontece no chão de sua sala de estar. Mas ele pode irromper tão facilmente também no supermercado, no carro, na casa de um amigo, na frente de seus pais... ou em qualquer outro lugar onde será milhões de vezes mais excruciante.

Você pode minimizar a frustração de seu filho nessa idade, mas não poderá eliminá-la completamente, pois ela é inerente ao processo de aprendizagem programado no cérebro de crianças dessa idade. As técnicas de envolvimento e as estratégias semelhantes descritas no capítulo *Definindo limites* (página 69) podem interceptar um ataque logo no início. Mas nem sempre.

O que você não pode fazer diante de um acesso de ira é ceder, pois essa é a melhor maneira de garantir que virão muitos outros no futuro. Render-se é provar à criança que o chilique funciona.

Estar bem no olho de um furacão de raiva é algo um tanto assustador – para você e para ele. A criança sente-se perdida e totalmente tomada pelo sentimento de fúria. Uns correm em círculos gritando, outros se jogam no chão sapateando e berrando e há aqueles que batem a cabeça nos móveis ou mesmo em você.

Veja como lidar com um ataque de raiva:

- ☹ A primeira coisa a fazer é assegurar que a criança não machuque a si nem aos outros, tampouco quebre alguma coisa.

- ☹ Tente manter a calma. Raiva apenas piora a situação. Se não conseguir se controlar, afaste-se da cena. A pior coisa a fazer é revidar um chilique com outro.

- ☹ Nem tente argumentar com a criança nesse momento. Ela não conseguirá ouvi-lo (ela não quer escutar nada).

- ☹ Algumas crianças cessam o ataque de raiva mais rápido quando um adulto as segura com firmeza. Com outras, esse expediente pode piorar o episódio.

- ☹ Retire-se da sala, se puder, assim que estiver certo de que ela não irá se machucar nem quebrar nada. Se o faniquito for semideliberado, o que pode acontecer com crianças mais próximas dos três anos, ignorar totalmente o acesso pode resolver o caso.

O QUE FAZ CRIANÇAS COM MENOS DE TRÊS ANOS PERDEREM A PACIÊNCIA:

- Paciência não é uma virtude dessa fase. Algumas crianças são menos intolerantes, mas muitas simplesmente não conseguem esperar nem um minuto sequer.

- Não consegue lidar com muitas opções ao mesmo tempo. Simplesmente não entendem o significado das palavras "um ou outro". Muitos de seus desejos serão contraditórios. Seu filho pode querer calçar o sapato e ficar descalço ao mesmo tempo.

- Não consegue planejar. É impulsiva, age de imediato e não tem a menor idéia das conseqüências de seus atos nem de como se sentirá depois.

- Não tem autocontrole.

- Não tem noção de perigo.

- Não consegue entender que suas ações podem afetar os sentimentos dos outros. Não gosta de revezar. Se você disser: "empreste seu brinquedo um pouquinho para Susie", seu filho pode pensar que nunca mais terá o brinquedo de volta. É explosão na certa.

- Como sua memória é limitada, você precisa repetir a mesma coisa várias vezes.

- Não entende o que é uma promessa até vê-la cumprida. Quando quer algo, quer agora mesmo. Quando se fixa em uma coisa, não tem acordo. Você pode até tentar, mas será em vão.

- Quer mais atenção do que o humanamente possível, mais de 24 horas por dia.

APEGO

A determinação rumo à independência é um processo poderoso que impulsiona o desenvolvimento da criança nessa fase. No entanto, ao mesmo tempo, ela pode se tornar surpreendentemente apegada. Esse não é um estágio em que ela irá se separar facilmente de você. É pouco provável que seu filho chore toda vez que você sai da sala, ao contrário de um bebê de nove meses, mas está sempre interessado em saber se você está por perto e não gosta de ficar com quem não está acostumado ou não confia plenamente.

Embora nem sempre chore quando a mãe ou o pai sai do ambiente, a criança pode muito bem chorar, gritar e fazer um escândalo quando você sai e a deixa com uma babá. Algumas reagem tão mal e ficam tão histéricas que os pais preferem abrir mão da vida social a passar por esse estresse novamente. Às vezes, parece que a ansiedade da criança passa para os pais, que se tornam excessivamente preocupados com que algo aconteça em sua ausência.

Veja como lidar com isso:

- Seu filho deve conhecer e gostar da babá. Não imponha uma estranha a ele.

- Peça para a babá chegar mais cedo para que seu filho tenha tempo de se envolver em alguma brincadeira com ela antes de você sair.

- Explique calmamente que você sairá, mas voltará.

- Dê um beijo, faça um carinho e diga: "até logo!".

- Saia imediatamente.

- Lembre-se de que as lágrimas provavelmente terão cessado assim que você dobrar a esquina.

- Repita isso também durante o dia, ao deixá-lo na creche ou na casa de um amigo para que a criança possa perceber o padrão.

TREINO DE TOALETE

Senso de ocasião é tudo quando se trata de treino de toalete. É um grande erro começar muito cedo, pois isso sempre leva a problemas mais tarde. Há um ótimo motivo pelo qual você nem deve pensar em tirar seu filho das fraldas antes dos dois ou dois anos e meio. Antes dos 18 meses, a criança é fisicamente incapaz de controlar o intestino ou a bexiga. Ela demora mais para adquirir a noção de causa e efeito. Quando está pronta, física e mentalmente – o que talvez não ocorra antes dos dois ou três anos de idade – a criança consegue aprender a controlar os esfíncteres com rapidez e facilidade.

Leia o tópico *Treino de toalete* na página 119.

A IDADE PRÉ-ESCOLAR:
DOS TRÊS AOS CINCO ANOS

O comportamento da fase anterior não desaparecerá num passe de mágica. Na verdade, muitos especialistas consideram crianças de quatro anos tecnicamente ainda na primeira infância. O autocontrole vem gradualmente e os acessos de ira podem diminuir porque a criança consegue raciocinar melhor, mas não desaparecem por definitivo. O processo de amadurecimento também pode ser perturbado pelo nascimento de um irmãozinho. De repente, a ajuizada criança de quatro anos desaparece trazendo de volta o barulhento pirralho.

No entanto, entre os três e cinco anos de idade, a primeira infância começa a ir embora. O cérebro está mais desenvolvido nessa fase e há um aumento do autocontrole e uma diminuição das atitudes impulsivas. Seu filho está aprendendo a pensar, e começa a brincar com outras crianças em vez de brincar o tempo todo sozinho. Consegue esperar (um pouco). Em suma, ele começa a perceber que o mundo não gira somente em torno de seu próprio umbigo e que existem outras pessoas também.

Essa é a fase das perguntas. O desenvolvimento da fala varia, mas por volta dos três anos, muitas crianças conseguem se expressar com bastante clareza. Se a palavra favorita na primeira infância é "não", nessa fase, o mote é "por quê?". Além de fazer muitas perguntas, adoram desafiar e envolverem-se nas conversas. Mas ainda falta um bocado para alcançar totalmente o raciocínio lógico. Não espere que seu filho, nessa fase, acompanhe uma argumentação lógica ou uma explicação detalhada. À medida que o pequeno deixa a primeira infância, "por quê?" passa a ser simplesmente a versão mais sofisticada de "não". Isso fica claro quando você dá a ele uma explicação que imediatamente leva a outro "por quê?".

Para a capacidade de raciocínio de uma criança pequena pode ser um tanto difícil separar a ficção da realidade ou um fato de uma fantasia. O que quer que surja em sua mente passa a ser verdade de alguma forma. Por volta dos quatro anos, um "amigo imaginário" pode surgir do nada e permanecer por um tempo. Geralmente, o amigo imaginário tem gostos semelhantes e é comum ouvir tiradas como: "Binky também não gosta de ervilhas". Às vezes, "Binky" leva a culpa quando a criança faz algo errado.

Faz-de-conta, contos de fada e amigos imaginários não significam que seu filho está se tornando um mentiroso. Isso é apenas um estágio normal do desenvolvimento e um sinal de imaginação a todo vapor. Sem contestar diretamente a criança nem negar seus sentimentos sinceros, você pode começar a ensiná-la delicadamente a diferença entre o que é verdadeiro ou não. Ensine seu filho que, em qualquer circunstância, é bom dizer a verdade e assumir a responsabilidade pelo que faz em vez de culpar os outros, mesmo que seja um amigo imaginário.

FAZENDO AMIGOS

Um dos principais aspectos que diferencia uma criança nessa fase de outra na primeira infância é a capacidade de brincar com outras crianças. Quando um pequeno de menos de três anos brinca, fica totalmente absorvido em seu próprio mundo. Pode brincar feliz ao lado de outra criança ou observá-la brincando, mas não brinca com ela.

Compartilhar ainda não é uma atitude natural de uma criança de três anos, mas, nessa idade, ela começa a gostar de brincar com outras crianças. Essa é uma característica que deve ser incentivada. Aos quatro anos, eles entendem um pouco melhor que os outros também têm sentimentos e essa noção acaba evoluindo para uma forma muito mais desenvolvida de brincar junto.

Aos cinco anos, seu filho terá evoluído de maneira inacreditável do recém-nascido que não tinha a menor idéia de que era um ser separado de você. Nessa fase, seu filho não apenas tem consciência da existência de outras pessoas como também é capaz de demonstrar preocupação com os sentimentos delas. Entende regras e consegue segui-las. Aceita se revezar; tem um controle relativo sobre seu comportamento e pode pensar sobre o que acontecerá se tomar uma determinada atitude. Consegue entender os argumentos quando você explica alguma coisa. São conquistas notáveis em apenas cinco anos – e ele está apenas começando.

PROVIDÊNCIAS IMPORTANTES

Uma das maneiras mais importantes para proteger seu pequeno "projeto de gente" é tornar sua casa à prova de criança pequena. Além de defender seu filho, você resguarda sua sanidade mental. Se você mora em um local cheio de perigos, não poderá dar as costas nem um segundo sequer. Se houver coisas preciosas ao alcance do pequeno, você não conseguirá relaxar. O mesmo vale para superfícies e acabamentos que poderiam sofrer estragos permanentes com algum tipo de pancada ou se caísse nelas um copo de suco, por exemplo.

Uma casa totalmente à prova de crianças até três anos, provavelmente, teria a aparência de uma cela acolchoada cheia de brinquedos. Isso não é prático, tampouco desejável. As crianças aprendem a respeitar o espaço e você não deve descer ao nível delas simplesmente para não sofrer nesses anos pré-escolares. Mas alguma estratégia de precaução é importante para evitar conflitos desnecessários, ajudar a evitar acidentes e economizar dinheiro em reparos e reposição de objetos quebrados, bem como tempo e trabalho com limpeza.

Dê uma olhada em sua casa e verá acidentes óbvios que poderão acontecer: objetos frágeis ao alcance da mão, fios elétricos que são um verdadeiro convite a um puxão de seu curioso filhote, produtos de limpeza e remédios em armários destrancados. Mas até ter filhos, você nem imaginava as estranhas idéias que habitam a mente de uma criança pequena. Ajoelhe-se e tente enxergar o mundo dessa altura.

Por exemplo, a garotada quase sempre passa por uma fase em que fica fascinada por chaves. Chaves se encaixam em fechaduras. Fechaduras se parecem um pouco com tomadas. Tomadas ficam à altura dos pequenos dessa faixa etária. "Será que as chaves entram nas tomadas? Deixe-me ver!" Foi por isso que inventaram o protetor de tomadas.

Ou que tal o videocassete? "Não seria legal colocar um pedaço de torrada com geléia naquela portinha ali?"

Nem todas as crianças pequenas são impulsivas e nem todas agem como destruidoras descuidadas. Mas toda criança tenta algo completamente maluco ao menos uma vez na vida (pelo menos para a cabeça de um adulto) e em algum estágio todas parecem achar que pegar coisas é algo irresistível. Ao mesmo tempo, embora crianças dessa idade tenham muita energia e habilidades físicas recém-descobertas, ainda não têm um controle perfeito sobre o corpo. Provocam acidentes, quebram coisas. Assim é a vida.

SEJA PRECAVIDO:

- Muitos pequenos adoram escalar, e subirão em coisas sem ter a menor idéia de como descer, sem pensar que podem cair e se machucar. Podem trepar nas cortinas, arrastar cadeiras para usá-las como escadas. Todas as coisas interessantes acontecem alguns centímetros acima da cabeça deles – não se pode culpá-los. Então, reduza as oportunidades de alpinismo a um mínimo. Não coloque coisas obviamente tentadoras, como doces, à vista em prateleiras altas. Se tiver beliches em casa, coloque sempre os menores em baixo e use uma grade firme em cima. Estantes devem ser firmemente presas à parede para que não haja o risco de cair sobre eles.

- Tudo o que pode ser arrastado é um convite para a criança puxar para ver o que há do outro lado. Você não conseguirá se livrar de todos os móveis com rodinhas nem dos fios elétricos, mas fique de olhos bem abertos. Ao cozinhar, não deixe os cabos das panelas voltados para frente e dê sempre preferência às bocas de trás do fogão.

- Alguns objetos úteis para proteger as crianças são travas ou grades de janelas, protetores de tomadas e de cantos vivos de mesas e móveis, tapetes antiderrapantes, trincos para os armários onde ficam guardados produtos de limpeza, remédios e álcool, detectores de fumaça, portões para as escadas, películas de segurança para portas de vidro, frisos para janelas e outras extensões de vidro.

- Outro dispositivo útil é um organizador para os fios de aparelhos de TV, DVD e videocassete.

- Poupe tempo, esforços, despesas e dores de cabeça tirando preciosos mimos do alcance da criança. Você não quer repetir 35 mil vezes por dia a frase "não toque nisso". Também não seria justo com seu filho. A casa é dele também.

- Capas laváveis para sofás e cadeiras, tapetes e cortinas laváveis facilitam a retirada de rastros de dedinhos melados. Impermeabilize os estofados.

- Nem pense em investir em superfícies e acabamentos que precisem de cuidados constantes. Perder muito tempo com limpeza o deixará irritado e o privará de um tempo que você poderia passar com seu filho.

- Sua casa deve passar uma sensação de segurança. Mas lembre-se: a maioria dos acidentes acontece em casa, não fora dela onde você tende a ficar ainda mais atento.

Rotinas e regras

Estou convicta dos benefícios da rotina na vida das crianças pequenas. A constância proporciona uma estrutura clara para o dia-a-dia, além de permitir a você organizar suas tarefas de modo que todos tenham um tempo de qualidade.

Os pequenos vivem melhor quando as coisas são previsíveis, ou seja, eventos quase iguais ocorrem mais ou menos na mesma hora a cada dia. Há bons motivos para isso. Se você não determinar um horário para colocar seu filho para dormir, por exemplo, às vezes tentará colocá-lo na cama quando ele não está com sono ou então quando estiver mais do que cansado. Você pensa que ele está bem aceso quando, na verdade, está caindo de sono. O horário de ir para a cama é uma parte muito importante da vida da criança e afeta todos na casa o suficiente para não ser tratado com uma abordagem de tentativa e erro. Do mesmo modo, muitos pais alteram o horário das refeições drasticamente ou deixam um intervalo tão grande entre elas, que pode até causar transtornos nos níveis de açúcar no sangue, muitas vezes responsáveis por alterações no humor e cansaço desnecessários.

Uma rotina o ajudará a atender as necessidades físicas da criança na hora certa – comida quando está com fome, cama quando está cansada. É essencial estabelecer horários para as principais atividades. Fazendo as mesmas coisas todos os dias, seu filho saberá o que esperar. Sem uma rotina clara, quando tudo pode acontecer a qualquer hora, as crianças começam a se sentir inseguras e nervosas. Desse modo, é certo que você as pegará sempre de surpresa. Quando ficam o tempo todo à espera do inesperado, não conseguem sossegar e relaxar. Podem encarar cada mudança de atividade com um desafio ou um escândalo, pois não estão mentalmente preparadas para isso. Com a rotina, por outro lado, você poderá acalmá-las no decorrer do dia, dizendo o que farão em seguida. Assim, elas não se sentirão pressionadas nem surpreendidas.

A rotina desenvolve constância na vida familiar. Também é necessário definir um conjunto de regras em comum acordo. Antes de exigir determinados padrões de comportamento de seu filho, é preciso decidir o que é aceitável ou não. E, então, mantenha-se firme em relação ao combinado. Se você sempre abrir concessões às regras ou objetivos, a criança não terá noção de como agir nem do que você levará a sério. "Será que entrarei em apuros por causa disso?" Na maioria das vezes, mudar as regras o tempo todo, ou não aplicá-las regularmente, é a oportunidade que seu filho espera para fazer exatamente o que quer.

COMO ESTABELECER UMA AGENDA EFICAZ

A vida moderna já é corrida o bastante. Com filhos pequenos, você pode chegar à conclusão de que o dia não tem horas suficientes para atender às necessidades de todos. A saída é estabelecer prioridades.

Tão logo começam a sentir a pressão do tempo, os pais tendem a fazer uma série de coisas. Reduzir o tempo de qualidade que deveriam reservar para si próprios ou para o casal. Diminuir o tempo que passam com os filhos mais velhos. Além de tentar pular etapas, pressionando os pequenos a pular etapas. Como resultado, ninguém ficará feliz.

Quando você não tem tempo para si ou para o casal, surgem ressentimentos, e os casamentos acabam abalados. Quando os filhos mais velhos sentem-se de lado, costumam culpar os mais novos e ficar enciumados ou encontrar outros meios de chamar sua atenção. E, na melhor das hipóteses, uma criança pequena que se sente pressionada e percebe que o pai ou a mãe está prestes a perder a paciência ficará irritada. Na pior, tudo o que você conseguirá é ter de lidar com um ataque de ira.

Estabelecer uma agenda ou rotina doméstica eficaz permite atender às necessidades e interesses de todos, além de proporcionar ao pequeno a estrutura clara de que ele necessita para se sentir seguro. Alguns pais não gostam da idéia de uma rotina, pois a consideram sinônimo de rigidez. No entanto, uma rotina realmente abre mais espaço para a diversão, uma vez que elimina grande parte do estresse decorrente da luta em administrar o tempo escasso. Quando uma atividade não avança no tempo alocado para outra, ninguém sai perdendo. De repente, tudo não parecerá tão corrido e caótico. De repente, você encontrará um tempo para respirar novamente. Isso o fará sentir-se no controle de sua vida e não esmagado por ela.

No programa *Supernanny*, escrevemos a rotina de cada família e as regras da casa em uma cartolina e a afixamos na geladeira. Você não precisa fazer isso. Basta encontrar o padrão de sua própria família, memorizá-lo e segui-lo o máximo possível.

DICAS PARA DEFINIÇÃO DE HORÁRIOS:

- ❀ Os horários das refeições e de ir para a cama são a base da rotina. Sou a favor de que crianças pequenas comam cedo – o jantar entre 17 e 17h30, por exemplo.

- ❀ O importante da rotina é ajudá-lo a conseguir fazer tudo num tempo razoável. Quando você demora muito para dar banho e colocar a criança na cama, essa tarefa acaba roubando horas de seu período noturno. Mas sem um tempo suficiente, seu filho terá maior dificuldade de desacelerar. A criança sente quando você está com pressa.

- ❀ Não seja rígido. Se der uma tolerância de meia hora em um horário ou outro, não fará tanta diferença no fim do dia.

- ❀ Seja realista. Se o seu filho sempre demora na hora de se vestir, reserve um tempo suficiente para essa tarefa. Não arrume um problema para você mesmo mais tarde.

- ❀ No verão, pode ser interessante deixar a criança ir para a cama cerca de meia hora mais tarde. É difícil pegar no sono quando ainda está claro.

- ❀ Reserve horários especiais para dedicar atenção especial a cada filho. Seu cônjuge deve fazer o mesmo. Hoje, a mamãe dá banho no caçula e o papai lê uma história antes de colocá-lo na cama. Amanhã, vocês trocam. Se isso não for possível, garanta que a criança terá um fim de semana com o papai, outro com a mamãe.

- ❀ Inclua um tempo de qualidade para você e seu companheiro. Não se trata de um extra opcional. Essa é uma necessidade. Você não acha?

Sinalizando a rotina da criança

Depois de elaborar uma agenda, esteja ela em sua mente ou num cartaz afixado na geladeira, é preciso ensinar a criança a segui-la. Todo dia, a cada passo do dia.

Os filhos menores só conseguem se concentrar durante intervalos menores, pois não se lembram das coisas por períodos longos. Ainda não têm uma noção de tempo bem definida. Não podem ler a agenda que você colocou no refrigerador, tampouco adivinhar o que você tem na mente. A rotina apenas funcionará se reforçada verbal e repetidamente. Do contrário, a mudança de uma atividade para outra sempre será uma surpresa. O adulto sabe que daqui a cinco minutos será a hora do banho, mas o caçula só saberá quando for avisado.

Talvez você se sinta o próprio relógio cuco, mas essa é realmente uma parte importante na aquisição de hábitos. Não se irrite com o som de sua própria voz repetindo sempre a mesma coisa. Dê avisos claros, calmos e repetidos, usando o tom de voz de costume a cada nova atividade, sempre com alguns minutos de antecedência. Assim, a criança pequena, que pensa muito mais em termos de "agora", terá uma chance de se preparar para o que vem a seguir e sentir-se envolvida no desenrolar da movimentação do dia. Com uma rotina em casa, a criança fica menos teimosa e menos propensa a tentar assumir o controle das coisas.

"Vamos procurar seus sapatos? Sairemos para o parque em cinco minutos!" Diga isso num tom animado. As crianças são muito receptivas ao seu tom de voz.

"A mamãe está pegando a toalha. Daqui a dois minutos, será hora de sair do banho".

Isso é sinalizar a rotina da criança e é bem diferente de oferecer-lhe uma série de opções. Você dirá: "vamos calçar os sapatos" em vez de "você pode calçar os sapatos?" ou, pior ainda, "que sapatos você quer usar?" Não há problema em oferecer aos pequenos duas opções aceitáveis, por exemplo. Mas abrir um leque muito amplo é como dizer que você não sabe o que está fazendo. Do contrário, por que estaria perguntando? Logo, ele é o chefe.

O mesmo se aplica às barganhas. Não diga, "se você calçar os sapatos, poderemos ir ao parque". Diga, "quando você calçar os sapatos, iremos ao parque". A diferença pode ser muito sutil, mas os resultados diferem sensivelmente.

Parar um pouco e falar com a criança desse jeito são atitudes que acabam poupando muito tempo e esforço. Quando os pais estão ocupados, tendem a falar com os filhos num tom estressado e imediato: "Já para a cama!" Assim, sem margem de manobra, deixando a criança encurralada. Para o pequeno, uma voz agitada equivale a um sinal de pânico. A garotada capta rapidamente os sinais de que você está desgastado e a maioria tenta tirar alguma vantagem da situação, fazendo um escândalo, se for o caso. Manter a calma e avisar com certa antecedência qual será o próximo passo é um modo de mostrar que você é quem manda.

Um ambiente calmo

Uma rotina respeitada elimina o caos do cotidiano e permite administrar o tempo de maneira adequada. Assim que você introduz hábitos, as coisas tornam-se mais calmas na casa inteira.

Outra medida para manter a paz é ter um ambiente razoavelmente organizado. Quando tudo está uma bagunça, perde-se muito tempo virando a casa de cabeça para baixo para encontrar os pijamas ou sapatos da criança. O caos também agita as crianças e as ensina que você não respeita o espaço em que estão. O problema é que elas são responsáveis pela maior parte da bagunça. Veja dicas de como lidar com a desordem na página 174.

Muito barulho também pode irritar crianças pequenas, mesmo quando são elas próprias que estão gritando e falando alto. Não faça ainda mais tumulto aumentando o volume da tevê ou do rádio.

Por volta dos 18 meses de idade, muitos bebês desenvolvem um medo abrupto de ruídos altos. Aspiradores de pó, processadores de alimentos e fogos de artifício são algumas das coisas que podem assustá-las. Esse medo, geralmente, passa rápido, mas enquanto existir, talvez você precise escolher a hora certa de ligar a centrífuga. Houve uma época em que eu tomava conta de uma menina que morria de medo do liquidificador. Costumava deixá-la no sofá, a uns três metros de distância, avisava que ia ligar o aparelho e ligava e desligava rapidamente algumas vezes para ela se acostumar à idéia. Quanto maior a proximidade da fonte do barulho, maior o pânico.

REGRAS

Imagine-se em um jogo em que todos sabem as regras, menos você. Sem chance. Seria uma experiência um tanto frustrante.

Agora, imagine que está num jogo em que as regras mudam a cada rodada:

"Quando chegar ao quadro VERDE, ganhará R$ 200."

"Quando chegar ao quadro VERDE, pagará R$ 200."

"Quando chegar ao quadro VERDE, nada acontecerá."

Você logo inventaria suas próprias regras e tentaria jogar do jeito que conseguisse.

Com as crianças acontece o mesmo. Se você não disser quais são as regras e o que espera dele, seu filho não saberá como agir. Se estabelecer uma regra e mudá-la quando for desafiado, não será levado a sério. Se definir regras impossíveis, a criança simplesmente não as seguirá e você estará diante de uma discussão inútil e interminável. Desnecessário dizer que isso é injusto com a criança.

Seja realista

Regras são limites essenciais para as crianças. Contudo, além de constantes, as normas devem refletir o que se pode esperar dos pequenos de maneira realista para cada idade. Por exemplo, não faz sentido esperar que uma criança pequena seja tão organizada como um adulto – ela vem com uma programação voltada ao que você chama de caos e bagunça. A saída não é estabelecer uma regra de arrumação impossível de ser aplicada, mas permitir que seu filho brinque com coisas que geram desordem sob supervisão – se ele puder pegar canetas hidrográficas assim que você virar as costas, não poderá culpá-lo se encontrar as paredes cobertas com sua "obra de arte".

Um dos erros mais comuns ocorre quando os pais esperam níveis de entendimento muito acima da capacidade de seus filhos pequenos. Mas o inverso também se aplica. Às vezes, um pai ou uma mãe considera a criança ainda como um bebê e a trata como tal mesmo que ela já tenha passado dessa fase há muito tempo. Os pais podem ter dificuldade em ver que seu bebê já é um menino, principalmente quando se trata do caçula e último filho. Outros podem tratar a criança como bebê por achar que assim é mais fácil lidar com elas.

Parece que foi ontem que você chegou com ele do hospital, mas já se passaram dois ou três anos e seu filho precisa de um tratamento bem diferente do dispensado a um bebê. A criança entre 18 meses e três anos está doida para experimentar coisas, e resiste bravamente a ser tratada como um bebê que não pode sequer tentar realizar tarefas simples como se alimentar sozinha. Ela ainda é pequena demais para comer sem fazer bagunça, mas você evitará um conflito desnecessário se deixá-la expressar sua independência de um modo que não machuque ninguém. Ela precisa aprender. Não lhe prive disso.

Não espere perfeição. Aceite a realidade de cada fase de seu filho e você não o inclinará ao fracasso.

Seja coerente

Muitos pais estabelecem regras à medida que surgem determinadas situações. Não há problema – em alguns casos, você tem de agir assim. A questão surge quando os pais não conversam entre si sobre as regras que definem. O resultado costuma ser a incoerência. Vale a pena sentar e conversar para chegar a um consenso. Que tipo de comportamento vocês dois consideram inaceitável? Em que aspectos vocês estão preparados para uma atitude um pouco mais flexível? Em que pontos vocês discordam? É essencial chegar a um acordo para estabelecer um conjunto de regras que todos possam seguir. Se mamãe e papai não estão unidos, os filhos aprenderão logo a colocar um contra o outro emocionalmente.

Quando você e seu cônjuge têm idéias muito diferentes sobre o comportamento esperado dos filhos, é impossível aplicar qualquer regra – boa, ruim ou indiferente. Conversar sobre o assunto pode esclarecer o que está por trás das diferentes mentalidades. Quem sabe você tenha sido criado num lar mais rígido do que o de seu parceiro ou vice-versa. Talvez isso não tivesse importância antes, mas, com a chegada dos filhos, as diferenças entre a criação de vocês podem se tornar evidentes. Sejam quais forem suas expectativas individuais, chegou a hora de discuti-las com seu parceiro e elaborar uma abordagem em comum.

Aquele que passa mais tempo com a criança tem uma idéia melhor do que ela é capaz de entender e, portanto, de quais são as regras mais adequadas para a idade de seu filho. Ao mesmo tempo, essa também pode ser a pessoa que está desgastada demais com as incessantes exigências de um pequeno malcriado para enxergar com clareza como a criança os tem desafiado terrivelmente. Abra os canais de comunicação e mantenha-os abertos, não só para lidar com a situação atual, mas também para conseguir antecipar-se às mudanças no porvir.

Comportamento inaceitável

Há certos tipos de comportamento que são inaceitáveis em qualquer idade. Seu filho pode ser ainda muito pequeno para entender o porquê, mas você precisa mostrar-lhe, clara e firmemente, que algumas coisas não são permitidas. A categoria "estritamente proibidos" inclui os comportamentos que machucam os outros – bater, morder, beliscar, empurrar, xingar – e os que podem colocar a própria criança em perigo – soltar o cinto de segurança ou não segurar em sua mão ao atravessar a rua. Quando a criança é muito pequena, age assim quase sempre de maneira impulsiva e irracional, mas assim que demonstrar sinais de que está agindo de propósito, é necessário que os pais estejam no controle e imponham regras. Se você não ensinar a criança a não bater nos irmãos, ela pensará que pode bater nos estranhos ou nos amiguinhos fora de casa. Essa é uma questão de moral.

Menos é mais

Quando se trata de estabelecer o que pode e o que não pode para crianças pequenas, é melhor definir algumas normas objetivas e claras do que várias regrinhas. Se tiver uma regra para cada detalhe, passará mais tempo policiando seus filhos do que sendo pai ou mãe. Uma criança pequena não sabe a diferença entre um preceito importante – "é errado bater nos outros"– e outro não tão relevante – "coma de boca fechada". Quando é muito pequena, ela se esquece dos pequenos deslizes e concentra-se nos mais graves. Repreender a criança o tempo todo tira toda a diversão da família e aumenta a tensão. Os pequenos já se frustram o suficiente ao longo do dia; não crie oportunidades para mais frustrações ou terá uma verdadeira batalha em mãos.

Conforme a criança cresce, é possível desenvolver um novo nível de regras, pois já terão dominado as iniciais. Avance à medida que seu filho se desenvolve.

TRABALHANDO COM AS OUTRAS PESSOAS
QUE CUIDAM DA CRIANÇA

Instruções claras – uma rotina diária e regras estabelecidas em comum acordo – ajudam muito quando você precisa dividir os cuidados da criança com alguém. Não só mamãe e papai têm de trabalhar juntos e seguir mais ou menos a mesma agenda, mas também os avós e babás.

Antes de deixar seus filhos aos cuidados de outra pessoa, explique com calma os hábitos, os horários e que tipo de comportamento é aceitável ou não. As crianças ficam confusas quando são expostas a diferentes maneiras de fazer as coisas o tempo todo. Vovó pode ser um pouco mais rígida que você e exigir melhores modos da criança, ou então pode ser mais branda, adotando sem culpa uma atitude indulgente com os netos em relação ao modo como criou você nessa mesma faixa etária. É preciso explicar como funcionam as coisas em casa para que seu filho possa viver em um ambiente onde tudo ocorra de maneira coerente.

Ao mesmo tempo, deixe que cada um desenvolva seu próprio relacionamento especial com seu filho, desde que não atrapalhe seus esforços em prol de sua boa educação. Os avós costumam gostar de assumir um papel mais *light*, e não resistem em proporcionar alguns mimos aos netos. Não os prive disso – afinal, eles merecem.

Deixar seu filho por um curto período aos cuidados de outras pessoas é uma coisa, mas quando você precisa voltar ao trabalho e a relação tiver um caráter mais duradouro, um entendimento conjunto das regras e rotinas básicas é essencial. Os pais, em especial as mães que trabalham, costumam ter um forte sentimento de culpa quando deixam os filhos com os outros. Às vezes, isso resulta em um relaxamento das regras quando chegam do trabalho. Mas a indulgência adotada na tentativa de superar sua própria sensação de culpa não ajuda em nada a criança. Seu filho precisa de tempo de qualidade com você, não viver numa casa em que não existem regras. Ele se sentirá muito mais feliz e seguro se sentir que todos os que cuidam dele agem do mesmo jeito. Quando um dos pais relaxa na disciplina, está sendo injusto com quem terá de lidar com a criança no dia seguinte. Não se esqueça de reservar um tempo suficiente para conversar com essa pessoa sobre o que se passou durante o dia.

LIDANDO COM AS QUEBRAS DE ROTINA

Não importa o quão organizado você é nem o quão tranqüila seja a sua rotina diária, haverá momentos em que as coisas serão menos previsíveis. Existem situações inevitáveis – doenças e o romper dos dentinhos se enquadram nessa categoria. Outras, porém, são evitáveis ou podem ter o impacto reduzido através de algumas atitudes suas.

As rotinas não precisam ser rígidas demais. Não há problema em relaxar um pouco no fim de semana e deixar as crianças acordadas até um pouco mais tarde numa noite de sábado. Apenas esteja pronto para se manter firme no domingo.

Evite marcar programas que possam quebrar a rotina e causar um impacto muito grande nos hábitos da criança. Por exemplo, não convide pessoas em sua casa num horário que possa atrapalhar as refeições ou a ida da criança para a cama. Os pequenos têm dificuldade de separarem-se dos pais – abrir mão de sua atenção – e alguns podem ficar tímidos diante de pessoas desconhecidas ou com quem não têm muita intimidade. Se surgir algo fora da rotina, explique com calma à criança o que deverá acontecer.

As rotinas com freqüência caem por terra nas férias. Um intervalo de duas semanas não é nada demais para um adulto, mas pode parecer uma eternidade para uma criança pequena. Se abandonar completamente a rotina durante as férias, terá de começar tudo do zero quando voltar para casa. Sair de férias pode bagunçar totalmente os hábitos de sono da criança ou mesmo dar início a um problema na hora de ir para cama que não existia antes. A solução não é ficar em casa, mas planejar um modo de manter a rotina nesse período. Os horários das refeições e do sono devem ser mantidos o máximo possível.

LONGE DE CASA:

- Reconheça que se você escolher um lugar muito distante para passar as férias, terá de lidar com as quebras de rotina resultantes de um longo período de trânsito, bem como com o *jet lag* (efeito de fuso horário diferente), no caso de viagens ainda mais longas. As crianças pequenas sofrem com o *jet lag* do mesmo jeito que os adultos e precisam de alguns dias para se adaptar.

- Procure manter os principais horários da rotina – acordar, comer, tomar banho e ir para a cama são as pedras fundamentais da agenda da criança. As atividades e o local serão inevitavelmente diferentes e representam uma mudança suficiente com a qual os pequenos terão de lidar.

- Se estiver calor, fique preparado para uma certa perda de apetite. Não crie caso com isso e não se esqueça de oferecer bastante água à criança.

- Leve edredons, brinquedos e objetos que tragam lembranças de casa para ajudar seu filho a acostumar-se a uma cama diferente. Se houver algo que ele realmente goste de comer, pense na possibilidade de levar um suprimento na viagem. Sempre inclua na bagagem medicamentos, remédios básicos e leite em pó especial, para o caso de não encontrá-los no lugar em que passará as férias.

Definindo limites

Rotinas e regras da casa são importantes para crianças pequenas. Garantir a manutenção de uma estrutura básica implica disciplina.

Desde quanto tempo é permitido assistir à tevê até os alimentos e hábitos de nutrição, quase todas as questões que possam estar remotamente relacionadas às crianças e à educação infantil tendem a gerar debates acalorados na mídia. Entretanto, disciplina é uma área da vida familiar em relação à qual a controvérsia é garantida.

Quais limites são rígidos demais? O que é permissivo demais? Poderia sentar-me e debater sobre essas questões um dia inteiro. Mas de uma coisa estou certa. Os pais perdem a autoridade quando caem em tentação e tornam-se amiguinhos dos filhos. A disciplina está relacionada a encontrar o ponto de equilíbrio em que você é carinhoso com os filhos, porém firme quando necessário. Isso significa que é imprescindível haver respeito de ambos os lados.

Se for muito rígido com seus filhos, correrá o risco de subjugá-los. Mas se não definir nenhum tipo de limite, terminará com crianças que não sabem como se controlar. Mais cedo ou mais tarde – geralmente na escola – essas crianças enfrentarão situações fora de casa em que a falta de autocontrole acarretará problemas ainda maiores. Isso pode prejudicar a capacidade de aprendizado da criança, bem como de fazer amigos.

Você pode até acreditar que uma criança que pode fazer exatamente tudo o que quer, na hora que quer, seja feliz e despreocupada. Mas isso não é verdade. Uma criança que fica impune a tudo, pensa que está no controle. Quando se tem menos de três anos de idade, essa é uma idéia bastante confusa. Ao dar a seu filho um excesso de liberdade, você não transmite a idéia de que o ama tanto que deseja que ele tenha tudo o que quer, mas sim que você não se importa em mostrar-lhe quais são os limites.

Crianças sem disciplina suficiente costumam ser medrosas, inseguras, raivosas, confusas e infelizes. Não têm a menor idéia do rumo das coisas, e isso as perturba. Quando conseguem o que querem, ou o que pensam que querem, continuam insatisfeitas. Contudo, continuam pressionando os limites para ver se existe algo que você as impedirá de ter ou fazer.

Nos primeiros episódios de *Supernanny*, visitei uma família cujo chefe era uma criança de dois anos e meio. Charlie era simplesmente o rei. Se o pequeno quisesse que a família inteira – mamãe, papai e os dois irmãos mais velhos – sentasse numa sala escura com a tevê e o aquecimento desligados, eles simplesmente obedeceriam. Tudo era feito do jeito que Charlie queria o tempo todo, todos os dias, mas nem assim o pequeno era feliz. Quanto mais os pais faziam todas as vontades, mais o menino gritava e berrava. Depois que introduzimos algumas técnicas básicas de disciplina aliadas a uma nova rotina e um conjunto de regras domésticas estabelecido em comum acordo – cheio de elogios e incentivos –, Charlie passou a ser outra criança. No lugar do garotinho irado e sem a menor idéia do que fazer com a liberdade, passamos a ver uma criança calma, feliz e segura, ciente de que poderia participar da vida familiar sem ser o manda-chuva.

Você não daria as chaves do carro para seu filho pequeno ir até o shopping center. Mas teria uma atitude semelhante se permitisse que ele ditasse quem faz o quê, quando, onde e como no dia-a-dia. Assim como faltam alguns anos para seu pequenino tirar a carteira de habilitação, falta-lhe discernimento ou juízo para comandar a própria vida – que dirá a sua.

Em minha experiência, muitos pais que não impõem regras desde a primeira infância acabam mudando de idéia em algum momento quando as coisas já estão realmente fora de controle. É então que se vêem sem muitas técnicas à disposição. Uma vez estabelecido um padrão de mau comportamento, é preciso muito esforço para modificá-lo. Contudo, é possível reverter a situação sem contratempos mais graves. Assim, não só os pequenos Charlies deste mundo ficam mais felizes e calmos. Todos os integrantes da família saem ganhando também.

ENCONTRANDO A ABORDAGEM CORRETA

Cada criança tem suas próprias características óbvias desde bem pequena. Há os serelepes, os que dormem muito e os que ficam ligados em tudo o que acontece ao redor. Há os sossegados, que dançam conforme a música e os que têm temperamento forte. Você não pode adivinhar que tipo de criança terá, mas sim adaptar seus métodos para lidar com a nova pessoa que chegou em sua vida. Algumas não precisam de tanta firmeza quanto outras. Mas não se esqueça de que disciplinar não significa rotular a personalidade de seu filho, castrá-lo ou tentar transformá-lo em uma pessoa que ele não é. A questão toda é permitir que as crianças sejam elas mesmas, dentro dos limites do comportamento aceitável.

Você terá melhores chances de sucesso se estiver à vontade com o estilo de disciplina adotado. Contudo, mesmo os pais que acham difícil agir com firmeza não precisam abrir mão totalmente da disciplina. Há várias técnicas descritas neste capítulo, e algumas funcionarão melhor do que outras para você. Não desista se uma técnica parecer um tanto artificial no início. Ser pai ou mãe às vezes implica assumir um papel. Com a prática, você pegará o jeito.

Amor e respeito

É muito importante entender que disciplinar uma criança não corresponde a amá-la menos. Pensar que disciplina é sinônimo de punição severa nada mais é do que uma visão equivocada. Uma boa educação envolve ensinar a criança como se comportar, e mostrar quais são os limites. Também significa elogio e incentivo tanto quanto firmeza e controle justo.

Encontrei muito amor, mesmo nas famílias mais caóticas que visitei. Às vezes, porém, não havia muito respeito. Se uma criança não respeita os pais ou os irmãos, terá a mesma atitude em outras situações – quando encontrar outras crianças ou quando começar a freqüentar a pré-escola ou o ensino fundamental – com resultados potencialmente explosivos. Em um bom relacionamento entre pai/mãe e filho há amor e respeito de ambas as partes.

CONVERSANDO COM SEU FILHO

Você teve uma manhã difícil. Seu caçula passou o tempo todo aprontando e sua sala está um verdadeiro tumulto. "Pare", você diz. Ele não dá a mínima. "Pare agora mesmo! NÃO! Não toque nisso!". É como se você estivesse falando com as paredes. "Você ouviu o que eu disse? Pare com isso AGORA!"

Pare com isso! Pare com isso! Não toque nisso! Ao gritar sem parar com a criança, você consegue transmitir apenas uma mensagem: estou simplesmente esgotada. Se seu filho comportou-se mal na tentativa de chamar sua atenção, nesse instante saberá que conseguiu seu intento.

Gritar o tempo todo com a criança não melhorará em nada seu comportamento. Essa é uma atitude muito mais irritante para ambos, pais e filhos, do que a disciplina sensata, e exalta os ânimos a ponto de ebulição. Quem perdeu o controle agora?

Vejamos o extremo oposto. Digamos que você se orgulhe de ser o tipo de pai ou mãe que nunca perde a calma e que nem imagina o que é gritar com o filho. Em vez de esgoelar-se, você diz: "Por favor, não faça isso. Ah, tenha dó... Estou pedindo para você não fazer isso" e sorri.

Mesmo assim, nada acontece.

A primeira etapa da aprendizagem de como disciplinar uma criança é aprender a conversar com ela.

Seja o mais expressivo possível

Quando estiver conversando com a criança, não se concentre apenas no que você está dizendo. Na verdade, o que você disser entrará em um ouvido e sairá pelo outro, se fizer um discurso longo e complicado. No fim das contas, para os pequenos, o que vale é o pacote todo: o tom de voz, a linguagem corporal, se você está inseguro, preocupado ou ansioso. Eles têm antenas poderosas. Às vezes, chego a pensar que são

dotados de um sexto sentido do qual nós adultos nos esquece-
mos completamente.

Seja o mais expressivo possível ao se comunicar com seu
filho pequeno. Use expressões exageradas e um pouco de en-
cenação. Muitos pais fazem isso por instinto, outros não, pois
se sentiriam envergonhados ou idiotas. Deixe a vergonha de
lado – seja confiante e bem humorado quando conversar com
a criança e quando responder ao que ela disser. Se você falar de
si mesmo na terceira pessoa, talvez consiga dissipar o calor do
momento: "Mamãe vai lavar suas mãos agora".

A VOZ DA AUTORIDADE

Quando seu filho tiver feito algo errado, você precisará comunicar-lhe o fato usando a Voz da Autoridade:

- Aproxime-se da criança. Não grite do outro lado da sala.

- Abaixe-se ao nível dela para não intimidá-la com sua altura. Agache para conseguir olhar nos olhos dela. Como você não dará comandos de cima para baixo, ela não poderá fingir que o ignora.

- Segure a criança pelos braços para que ela não possa sair correndo ou interromper o contato visual. Diga, "olhe para mim", se ela tentar desviar o olhar.

- Não use um tom ameaçador nem ranja os dentes!

- Adote um tom de voz baixo, firme e que transmita autoridade. Não é preciso lançar mão de agressividade, ameaças, menosprezo ou barganha. Use um tom que deixe bem claro que você não está brincando e que transmita o seu desagrado.

- Fale de maneira clara, calma e séria que ela está fazendo algo de errado: "Bater nas pessoas é inaceitável. Você não pode bater nos outros. Não quero que faça mais isso, por favor". Às vezes, milagrosamente, isso basta. Os pequeninos são especialistas em entender os sinais subliminares. Uma voz baixa e firme e uma linguagem corporal confiante são o suficiente para dar o recado.

A Voz da Autoridade transmite que há limites que não devem ser ultrapassados e separa o mau comportamento da criança em si. Isso é essencial. O comportamento é ruim, não a criança – não coloque rótulos em seu filho. A questão não é dar uma bronca que a deixe subjugada nem amedrontá-la com uma demonstração de raiva, mas deixar muito claro que o comportamento é errado e que não o agradou.

A autoridade nem sempre vem naturalmente. Alguns pais precisam trabalhar um pouco sua própria autoconfiança para conseguirem adotar uma postura mais assertiva. Se você estiver totalmente inseguro, seu filho sentirá isso em sua voz. Pratique diante do espelho, se necessário.

A VOZ DA APROVAÇÃO

Qual foi a última vez em que você elogiou seu filho? Qual foi a última vez em que o aprovou sem um motivo específico? Faz meia hora que não corre atrás do gato nem do irmão caçula. Almoçou e comeu quase tudo. Deixou que você apertasse o cinto da cadeirinha do carro sem reclamar. Para uma criança pequena, meia hora de bom comportamento é muito tempo. Se você não salientar essas pequenas conquistas com sua aprovação, seu filho pensará que você nem percebeu.

Ele está um anjinho e você não disse nada. O que ele tem de fazer para chamar sua atenção? Que tal correr atrás do gato? Ou atirar a tigelinha no chão? Quem sabe bater no irmão? Quando o bom comportamento não recebe atenção, a criança tenta outra coisa que sabe que funcionará.

Não economize elogios. Valorizar a criança pelo bom comportamento não a deixará convencida nem mimada. Ela também não precisa fazer nada de excepcional para receber uma demonstração de aceitação. Não se comportar mal já é o bastante. Muitos pais vêem que o filho está se comportando bem e pensam: "Ufa! Como ele não está aprontando agora, tenho uma chance de fazer outras coisas". E saem de perto, esquecendo-se de transmitir à criança que perceberam o bom comportamento, e estão contentes por isso.

Uma situação em que o elogio é freqüentemente negligenciado é quando um filho se comporta bem enquanto o outro está fazendo bagunça. O bom comportamento pode ser quase invisível quando um furacão atravessa sua sala de estar na tentativa de chamar sua atenção. Você terá de resolver o mau comportamento, mas também não deve deixar de observar e reconhecer o filho que está ali brincando quietinho.

O reconhecimento positivo é parte essencial da disciplina. Tente direcionar a criança no sentido do comportamento desejado com elogios e incentivos e afastá-la das atitudes inadequadas, mantendo firmemente os limites.

A Voz da Autoridade é baixa, firme e controlada – o oposto da Voz da Aprovação. Muitos pais falam alto com os bebês por instinto. Esse é o tom de voz que você deve usar para elogiar. Um tom de voz mais agudo e animado transmite satisfação. Você também pode bater palmas e dar uns gritinhos de alegria.

"Que lindo! Comeu tudo!" Transmite bem o que você sente. "Mamãe está muito contente com você!"

Reforce o elogio com um carinho no ombro: "Você está brincando que é uma belezinha!"

"Muito bem! Você ajudou bastante o papai."

A VOZ DA RAZÃO

Seu filho de menos de três anos percebe uma série de dicas, mas tem uma compreensão limitada em vários aspectos. Não consegue ponderar como um adulto, mas consegue "ler nas entrelinhas". Seu tom de voz e sua linguagem corporal dizem muito à criança. É surpreendente como – mesmo no caso dos bem pequenos, que ainda não dominam a habilidade da fala – o modo como você diz determinadas coisas também afeta a reação deles.

Você pode poupar-se de uma série de problemas, tomando cuidado com o modo como expressa suas idéias em palavras. Pense antes de falar. Se usar de barganha, ele também negociará. Não discuta com a criança: peça e fale. Você não conseguirá apelar para o melhor da natureza de seu filho se não pedir as coisas da maneira adequada. Diga sempre "por favor". A boa educação não custa nada.

Sempre me surpreendo com a quantidade de opções que os pais oferecem aos pequenos. Uma criança de dois anos e meio ou três simplesmente não consegue escolhe entre seis, oito, dez opções. Os mais velhos, entre quatro e cinco anos para cima, podem começar a lidar com escolhas e decisões simples.

Muitos pais odeiam a idéia de dizer ao filho o que fazer. Sentem-se como ditadores, não como os pais amorosos que desejam ser. Em vez de dizer à criança o que fazer, oferecem escolhas na esperança de que os vejam como pais bondosos e carinhosos.

Em outras situações, as escolhas são oferecidas como a cartada final para evitar um verdadeiro desastre. Seu filho resiste às suas tentativas de vesti-lo e você entende isso como se ele não quisesse usar a bermuda azul. Nesse momento, você começa a oferecer várias escolhas na tentativa de deixá-lo feliz. "Quer usar a verde, então? Não? Que tal a vermelha?" Quando terminar com todas as opções do guarda-roupas, estará de volta à estaca zero e o pequeno ainda estará despido.

Ao não oferecer escolhas, você não está sendo rude nem agindo como um ditador. É possível dar uma ordem por meio de instruções claras, envolvimento e elogios: "Vamos vestir as meias, por favor. Você pode puxar as meias. Muito bem. Agora calce os sapatos para a mamãe".

Barganhar é tão ruim quanto oferecer escolhas. Imagine que o caçula não quer almoçar:

- Você diz que se ele comer mais CINCO colheradas, ganhará um biscoito de chocolate.

- Ele come uma colherada e pede o biscoito.

- Parece estar funcionando, mas você não tem o dia todo para isso. Então diz que se ele comer mais TRÊS colheradas, ganhará o biscoito.

- Ele diz que quer o biscoito agora.

- Você vê aonde isso vai chegar, mas não desiste e diz que ele ganhará o biscoito se comer só mais DUAS colheradas. Então pega a colher e leva em direção à boca de seu filho. Ele bate na colher, jogando-a longe e começa um verdadeiro escândalo por causa do biscoito.

- Você diz que ele não terá o biscoito enquanto não comer só mais UMA colherada.

- Ele começa a gritar com raiva.

- Você dá o biscoito.

- Ele venceu. Comeu exatamente mais uma colherada e ganhou um biscoito de chocolate. Agora, ele quer outro biscoito.

Crianças pequenas sempre ganharão disputas como essas porque não entendem o que significa uma barganha ou uma promessa. Você está ali, na frente delas, balançando algo tentador nas mãos e elas farão de tudo para conseguir o mimo na hora. E o que você considera um "toma-lá-dá-cá", a criança entende como uma regra que muda o tempo todo – e que, como todos sabem, é uma norma fajuta que não precisa ser seguida.

COMO CONVERSAR COM SEU FILHO:

- Não grite. Use a Voz da Autoridade para o mau comportamento.

- Elogie a criança quando ela estiver se comportando bem.

- Tente conversar com seu filho da maneira mais positiva possível. Em vez de sempre dizer o que não quer que ele faça, tente expressar-se de outro modo. Em vez de dizer: "Não coloque as mãos sujas no sofá", diga: "Suas mãos estão sujas. Vamos lavá-las agora. Depois você vem para o sofá e eu conto uma história".

- Não seja rude nem grite ordens de comando. Essa postura só gera resistência.

- Nunca use palavras que magoem ou rotulem a criança. Deixe claro que é o comportamento ruim que o desagrada, não o seu filho.

- Seja educado.

- Se a criança gritar com você, não eleve seu tom de voz. Responder a um berro com outro não ajuda em nada. Diga para seu filho não falar com você dessa maneira.

- Não compare seu filho negativamente com os irmãos e nunca, jamais, fale dele com outra pessoa a uma distância em que ele possa ouvi-lo. Pode parecer que a criança não está escutando, mas pode acreditar que ela está entendendo cada palavra.

- Não ofereça várias escolhas a uma criança pequena.

- Não barganhe quando ela está no meio de um ataque de raiva.

- Seja o mais expressivo possível. Deixe que ela perceba sua linguagem corporal. Use um tom descontraído ao falar com seu filho.

ESTRATÉGIAS DE PREVENÇÃO

As estratégias de prevenção têm um papel importante no controle do comportamento dos filhos. Crianças muito pequenas, que até ontem eram bebês, estão no estágio em que são mais impulsivas e afoitas. As técnicas de envolvimento e estratégias semelhantes funcionam bem nessa idade. Se perceber uma atitude impetuosa a caminho, poderá evitá-la, poupando a si mesmo conflitos desgastantes e desnecessários.

- Certifique-se de que sua casa é segura e "livre de tentações". Por que perder tempo e energia tentando manter objetos preciosos fora do alcance da criança quando você pode simplesmente tirá-los de cena? Veja o tópico *Providências importantes* na página 44.

- Procure identificar quais são os momentos mais problemáticos do dia e veja se não é possível melhorar as coisas mudando um pouco a rotina. Adiantar as refeições em meia hora é muito melhor do que ter de enfrentar 30 minutos de choradeira todos os dias por causa do baixo nível de açúcar no sangue.

- Encontre uma saída para as atividades que causam mais aborrecimento. Se suas tentativas de lavar os cabelos da criança levam a explosões na hora do banho e atrapalham a rotina de ir para a cama, reserve outro horário do dia para lavar a cabeça do pequeno. Essa parte da higiene continuará sendo uma dificuldade, mas esse é o tipo de problema que você pode escolher quando enfrentar.

- Não espere que seu filho desacelere imediatamente após um período de brincadeiras barulhentas. Ele não entrará em casa quietinho depois de passar horas correndo no parque.

- Não apresse a criança de uma atividade para a outra. Dê avisos claros em intervalos regulares sobre o que acontecerá em seguida para que ela se prepare.

- Se houver um brinquedo ou jogo em especial que sempre provoque briga, guarde-o, por enquanto. Não deixe que isso seja um motivo de discórdia dia após dia.

- Não procure perfeição nem tenha expectativas não realistas quanto ao comportamento de seu filho. Saiba o que esperar em cada fase da vida.

- Se perceber que há algum problema a caminho, tente uma distração ou diversão. Aponte para algo interessante que está acontecendo em outro lugar. "Você está vendo o passarinho no jardim? O que você acha que ele está fazendo?". Ou convide a criança para ajudá-lo em alguma tarefa doméstica. Tire vantagem da efêmera capacidade de concentração da criança nessa idade para desviar sua atenção do problema.

A TÉCNICA DO ENVOLVIMENTO

A Técnica do Envolvimento é uma de minhas favoritas e funciona muito bem com crianças pequenas. Essa estratégia pode ser de grande ajuda quando se trata de lidar com ciúmes. Também é capaz de dar uma reviravolta quando a criança está prestes a explodir, como tipicamente acontece no supermercado (veja a página 187).

Crianças pequenas precisam de atenção. Quando não conseguem, ficam terríveis. O problema é que simplesmente não há horas suficientes em um dia para você dar toda a atenção que seu pequeno exige e ainda dar conta de todo o resto. Se você tem dois ou mais filhos, e nenhum clone seu no armário, precisa descobrir maneiras de contornar a situação.

Não se pode esperar que uma criança pequena fique brincando quietinha enquanto você separa a roupa para colocar na máquina, lava a louça ou alimenta o caçula. Talvez ela consiga isso uma ou duas vezes, caso esteja a fim de brincar. Entretanto, é bem provável que não aja assim todos os dias, especialmente se estiver ressentida da atenção que você dá aos irmãos mais novos.

A saída é envolver a criança no que você está fazendo. Os pequenos não acham aborrecidas tarefas como limpar, separar roupas, buscar coisas e trazê-las para você, como às vezes acontece com os maiores. Criancinhas adoram ajudar, pois se sentem responsáveis e confiantes. Encaram como um desafio que estão vencendo.

É claro que você precisa pedir algo que a criança possa fazer. Do contrário, apenas estará aumentando a lista de frustrações dela, sem dizer que poderá contar com estragos na certa. Embora não se espere que guris de menos de três anos sequem e guardem os pratos nem que passem aspirador de pó na sala, há uma série de maneiras em que eles podem ajudar. Se você estiver trocando os lençóis, ele poderá segurar uma ponta para você. Se estiver lavando o carro, poderá vesti-lo com uma capa de chuva e entregar-lhe uma esponja e um balde de água para ajudá-lo. Quando estiver lavando legumes, poderá colocá-lo em pé em uma cadeira ao seu lado e deixá-lo lavar uma batata ou duas. Utensílios de brinquedo também são uma ótima idéia. Criancinhas adoram miniespanadores e minivassouras. As tarefas do lar podem demorar um pouco mais e as coisas talvez não fiquem lá muito perfeitas, mas você fará o que precisa sem deixar de dar atenção ao seu filho.

Mais importante ainda, quando estiver cuidando do bebê, poderá amenizar um pouco do ciúme do mais velho, envolvendo-o na mesma atividade. Pedir para sua filhinha pegar um brinquedo ou uma toalha na hora do banho ou para ajudá-la a dar a papinha para o caçula é um meio de dar a ela atenção enquanto você cuida do bebê. Assim, você mata dois coelhos com uma cajadada só.

A Técnica do Envolvimento permite dar atenção à criança, conversando sobre o que você está fazendo o tempo todo. Outra parte importante são os elogios. Agradeça a criança pelo esforço, diga que ela fez um bom trabalho e que a ajudou bastante.

COMO DISCIPLINAR A CRIANÇA

Quando seu filho faz algo realmente inaceitável – visivelmente de propósito – ou se insiste em malcriações, você tem de tomar uma atitude e reforçar as regras com um controle firme e justo. As técnicas descritas nas seções a seguir são adequadas para crianças com mais de dois anos e meio. A menos que seu filho seja muito precoce, essa é a idade mínima em que se pode começar a usar estes métodos e contar com resultados. Abaixo dessa faixa etária, o discernimento da criança ainda não está desenvolvido o suficiente para que ela entenda o que você está tentando ensinar-lhe.

O principal motivo para o mau comportamento dos filhos entre dois e cinco anos é chamar a atenção. O segundo motivo é o ciúme que, curiosamente, é quase igual ao primeiro. Crianças pequenas fazem qualquer coisa para ser o centro das atenções. Com a chegada de um bebê, surge uma competição acirrada por seu carinho.

Há duas coisas importantes que devem ser lembradas quanto ao uso de qualquer método de disciplina:

- Seja coerente. Fique firme. Não mude as regras. Tanto o pai quanto a mãe devem agir de modo semelhante e apoiar um ao outro. Uma criança que está sendo disciplinada pelo pai, naturalmente, correrá para a mãe em busca de abrigo. O jogo do "mocinho e bandido" pode funcionar muito bem na tevê, mas inconsistência na criação dos filhos inviabiliza a disciplina.

- Aja imediatamente. Não adie sua tomada de atitude. Os pequenos não se lembram das coisas por muito tempo. Não associarão a disciplina ao mau comportamento se houver um intervalo muito grande entre os dois.

QUANDO NÃO DISCIPLINAR

Quando a criança está doente ou convalescente. Alguns pais acham que um sinal certo de doença é quando seu pequeno bagunceiro de repente fica quietinho demais. Outras crianças ficam com o pavio mais curto quando estão doentes ou quando está nascendo algum dentinho. O pequeno enfermo precisa do tratamento correto e de muito amor e carinho.

Quando há dúvidas suficientes quanto ao autor de alguma arte. A maioria das crianças pequenas é bastante transparente e dá para saber quem é o culpado em uma discussão sobre algo que aconteceu quando você não estava por perto. Entretanto, se uma criança for constantemente disciplinada por coisas que não fez, terá todo o direito de sentir-se perseguida, e começará a mentir.

Quando ela estiver realmente chocada com seu mau comportamento e pedir desculpas sinceras. Pode ter quebrado um vaso depois de você ter repetido mil vezes para ela não tocar nele e o acidente provocou um choro compulsivo. Nesse caso, a criança já aprendeu a lição do jeito mais difícil e é pouco provável que volte a repetir a travessura. (O mesmo aconteceu com você, que certamente não colocará outro vaso ao alcance dela). Aceite o fato e explique a ela o porquê do acidente. Lembre-a das regras e pronto. Disciplinar a criança quando ela já está chateada e arrependida é transmitir-lhe a mensagem errada.

Quando houver quebras significativas na rotina. Esteja preparado para o comportamento de seu filho simplesmente degringolar, caso seu mundo esteja de cabeça para baixo, como no caso de uma mudança de casa, do nascimento de outro bebê, de doença na família ou coisas do gênero. Não se preocupe muito com a disciplina enquanto a tensão não diminuir. É preciso dar espaço para o aborrecimento de seu filho.

🐞 Quando a criança já foi disciplinada. Não repreenda seu filho duas vezes pela mesma desobediência. Se o seu cônjuge ou outro adulto que cuida da criança já a disciplinou, o caso está encerrado.

A TÉCNICA DO DEGRAU DO MALCRIADO

A idéia por trás dessa técnica é tirar a criança de cena por alguns minutos e deixá-la se acalmar, pensar no que fez e preparar-se para pedir desculpas. O objetivo é ensiná-la que um tipo específico de comportamento inaceitável terá o castigo como conseqüência. Além de mostrar, de maneira muito clara e eficaz, que ela passou dos limites e desrespeitou uma regra importante, o degrau também serve para suavizar a tensão da situação. Tanto você quanto seu filho precisam desse intervalo para respirar.

O Degrau do Malcriado não precisa ser praticado em uma escada. Pode ser um canto ou um quarto. Gosto de usar o degrau porque geralmente é um local reservado na casa, mas nem tanto a ponto de obrigá-lo a ir de um lado para o outro o tempo todo. Se não tiver escadas em casa, coloque a criança num canto da sala ou em outro cômodo.

Se optar por colocá-la em um quarto, certifique-se de que não haja nenhum objeto de estímulo ou distração. Deixar a criança em um quarto cheio de brinquedos ou com um aparelho de tevê à mão acaba com o objetivo do exercício. É preciso deixar a criança em um local onde ela se sinta entediada, assim terá o tempo necessário para pensar sobre o ocorrido. No primeiro programa da série *Supernanny* dos Estados Unidos, visitei uma família na qual os dois filhos, com seis e dois anos de idade, tinham de ir para o quarto quando se comportavam mal. O problema é que isso enviava às crianças uma mensagem ambígua. Se você quer que seu filho sinta-se confortável e seguro em seu próprio quarto, não o associe a um local onde a disciplina é aplicada.

A Técnica do Degrau do Malcriado é o que muitos especialistas em cuidados infantis chamam de "Um Tempo para Pensar". Pessoalmente, não acho que seja prejudicial à criança saber que se desobedecer, irá para o degrau do "malcriado".

Mas um nome diferente facilita a aplicação da técnica, e não faz grande diferença.

Enciumado, o pequeno de quatro anos empurra a irmãzinha e atira um brinquedo nela. A menina cai e começa a choramingar. Está armada a confusão. Você fica furioso, talvez preocupado e aflito também. Primeiro verifica se a pequena está bem, resiste à adrenalina que o impele a gritar a plenos pulmões e então coloca em prática a Técnica do Degrau do Malcriado.

Como funciona

Esta técnica pode interromper rapidamente o ciclo de maus comportamentos. Mas lembre-se de que você e seu cônjuge precisam estar em sintonia. E não pule etapas. As fases de Avisos e Explicações são essenciais. Se, no calor do momento, você for direto à etapa C sem passar pelas fases A e B, o método não funcionará.

O aviso

Aproxime-se da criança, abaixe-se até a altura dela e olhe-a nos olhos. Use a Voz da Autoridade para dar-lhe um aviso verbal. Diga: "este comportamento é inaceitável. É errado empurrar os outros ou atirar coisas nas pessoas. Não faça isso novamente". O Aviso é uma etapa crucial na técnica, pois dá à criança a oportunidade de corrigir seu próprio comportamento. Se pular essa etapa, deixará a criança encurralada.

O ultimato

Cinco minutos depois, seu filho repete a mesma coisa. Dessa vez, usando o mesmo tom de voz baixo e firme e linguagem corporal confiante, dê um Ultimato. Diga: "eu disse para você não empurrar sua irmã e não atirar coisas nela. Que malcriação! Não podemos empurrar as pessoas. Da próxima vez que fizer isso, você irá para o Degrau do Malcriado".

O degrau do malcriado

Assim que seu filho repetir o mau comportamento, leve-o para o degrau. Sente-o e diga-lhe para ficar ali. O tempo do castigo depende da idade da criança. Dois minutos é tempo suficiente para alguém com menos de três anos. Cinco minutos é a medida certa para crianças de quatro anos ou mais.

A explicação

A exemplo do Aviso, essa é outra etapa crucial. Antes de afastar-se da criança, explique o motivo pelo qual ela está ali. Diga: "não podemos empurrar as pessoas nem atirar coisas nelas. Esse é um comportamento inaceitável, que pode machucar os outros. Você ficará sentado aqui por cinco minutos, pensando no que acabou de fazer. Dentro de cinco minutos eu voltarei para tirá-lo daqui e quero que você peça desculpas. Agora, não saia daí."

A desculpa

Se a criança sair do lugar alguns segundos depois, volte e repita a Explicação. Não a deixe no degrau por mais de cinco minutos. Esgotado esse tempo, diga que você quer um pedido de desculpas. Mas se ela levantar antes dos cinco minutos e estiver sinceramente arrependida, deixe-a sair do degrau. "Desculpe" é um passo na direção certa, mas "desculpe por eu ter empurrado minha irmã" é muito melhor. As pessoas sempre perguntam como é possível saber se o pedido de desculpas é sincero ou não. Costumo dizer que o importante não são as palavras, mas a maneira como são ditas. Creio que podemos dizer que uma criança que grita "DESCULPE" a plenos pulmões não está sendo necessariamente sincera.

Elogio

Quando seu filho pedir desculpas, elogie-o. Isso é importante. É preciso mostrar que você o perdoou pelo mau comportamento. Diga: "obrigado. É assim que se faz". Volte a falar normalmente. Ele perceberá um aumento em seu tom de voz.

Caso encerrado

Assim que a criança pedir desculpas e você elogiá-la, trate o incidente como um caso encerrado. Convide-a para brincar ou juntar-se a você em qualquer outra atividade. A disciplina já foi aplicada, o caso está encerrado e agora ela precisa saber que tem uma chance de começar tudo de novo.

A TÉCNICA DA TOLERÂNCIA ZERO

A Técnica do Degrau do Malcriado costuma operar maravilhas. Em alguns casos, no entanto, especialmente se a criança é mais velha ou se o mau comportamento está mais arraigado, pode ser necessário tentar algo diferente.

Quando a Técnica do Degrau do Malcriado não funciona, a pode quebrar o padrão mostrando à criança que o mau comportamento não garante a sua atenção de jeito nenhum.

Uma coisa importante é não ir direto para essa técnica. Isso não funciona. Primeiro use a Técnica do Degrau do Malcriado (ou canto ou quarto) para deixar claro que você está no controle da situação. Se você reagir à malcriação, indo direto para a Tolerância Zero, seu filho sentirá que está sendo ignorado e continuará desobedecendo até conseguir sua atenção.

No programa *Supernanny*, visitei uma família em que a mãe separada, Kelly, lutava para manter seus dois filhos, Sophie e Callum, minimamente sob controle. As duas crianças não demonstravam o menor respeito pela casa, objetos, brinquedos, mãe, avós e entre si. Brigas, destruição e agressão eram constantes. Depois que introduzimos a Técnica do Degrau do Malcriado, seguida do Confisco dos Brinquedos, o comportamento de Callum melhorou com uma rapidez incrível. Entretanto, Sophie, de cinco anos, continuou a agir de maneira muito desafiadora e agressiva para impedir que a mãe dedicasse um tempo de qualidade ao irmão caçula. Callum estava uma belezinha, mas seus esforços passavam desapercebidos enquanto Sophie se debatia, chutava e gritava. Já havíamos trabalhado bastante no controle da voz de Kelly, mas os gritos de Sophie a tiravam do sério. O que realmente fez a diferença foi esta técnica para momentos de crise.

✺ Neste método, não há avisos verbais. Se a criança for malcriada, retire-a do recinto. Não é necessário levá-la para um local especial, basta tirá-la de vista. Diga que seu comportamento é inaceitável e que ela poderá retornar quando estiver pronta, ficar boazinha e pedir desculpas.

- Se ela voltar para desafiá-lo – o que certamente fará –, retire-a do recinto novamente. Não lhe dê a menor atenção. Diga, "não estou interessado" e evite o contato visual.

- Use o controle de voz. Diga: "por favor, saia da sala", em voz baixa e assertiva para não ter de retirá-la fisicamente do local a cada instante.

- Mantenha a posição até ela pedir desculpas. *Isso acontecerá antes do que você imagina.* Uma criança acostumada a aparecer por meio do mau comportamento sempre fica chocada quando é totalmente ignorada. Ela pintou e bordou e você não reagiu como de costume. Não tenha dúvida de que ela está perplexa.

- Depois que ela pedir desculpas, elogie-a e convide-a a entrar e brincar.

CONFISCO DOS BRINQUEDOS

O Confisco dos Brinquedos é uma técnica disciplinar para crianças mais velhas. Não funciona com crianças menores que realmente não compreendem o que significa barganhar. Acho que essa técnica é mais útil quando o problema envolve os brinquedos de alguma forma. Se a criança for destruidora, se não respeitar seus pertences ou se brigar o tempo todo por causa dos brinquedos.

Não coloque o esforço dessa técnica por terra comprando um brinquedo novo por um bom comportamento. Ele entenderá imediatamente que não importa quantos brinquedos você confisque, ele sempre ganhará outros.

RECOMPENSAS

Atenção positiva e elogios são as recompensas mais eficazes para as crianças. São atitudes imediatas que reforçam o bom comportamento no ato.

Para uma criança mais velha, uma boa idéia é usar um quadro com estrelinhas adesivas ou magnéticas. Esse método é suficiente para acompanhar o avanço do pequeno. Se preferir, você pode dar algum prêmio quando ele atingir um determinado número de estrelinhas seguidas – cinco, por exemplo, não 20! Essa forma de recompensa normalmente é melhor quando é feita de repente, mas a surpresa funcionará apenas uma vez. Da próxima vez que usar o quadro, ela irá esperar ser recompensada da mesma maneira novamente. Portanto, cuidado com o modo como premia seu filho ou seu tiro sairá pela culatra. Pequenos agrados estão de bom tamanho.

O que não se deve fazer é exagerar e recompensar excessivamente a criança pelos bons modos. Se o seu filho sempre ganhar um brinquedo por agir como deveria fazer normalmente, ele logo perceberá que pode manipulá-lo, usando o comportamento para esvaziar a sua carteira. E valorizará sempre mais cada atitude educada. Hoje, ele quer uma estrelinha porque comeu tudo. Amanhã, vai querer um Lego.

BEIJOS

Você deve ter percebido que ao longo deste capítulo sobre disciplina não fiz nenhuma menção a beijos. Sou uma babá – e babás não costumam beijar como forma de disciplina, com toda a razão. Não vou discutir se você pensa que não há problemas em beijar seu filho de vez em quando ou se acha esse um hábito totalmente inaceitável.

Digo apenas que a controvérsia em torno do assunto desvia totalmente as pessoas da questão da disciplina e acho isso lamentável. As crianças realmente precisam de disciplina e limites. Espero que este capítulo tenha mostrado que há várias maneiras eficazes de delimitar tais fronteiras e manter a sanidade mental ao mesmo tempo.

A troca de roupa

Quando os filhos ficam um pouco mais velhos, os pais sabem que haverá briga na hora de trocar de roupa. Os moletons! As mini-saias! Os tops! Muitos não estão preparados para enfrentar problemas tão cedo. Tenho visto famílias que passam o dia todo lutando para vestir uma criança pequena e mantê-la vestida. Como na maioria das outras áreas de conflito envolvendo crianças, vestir nem sempre é a verdadeira questão.

Às vezes, a troca de roupa torna-se um desafio quando a criança quer mais independência. Ela quer se trocar sozinha e escolher o que usar. Mas se você está enfrentando problemas em várias outras áreas e seu filho se recusa a vestir-se, a comer, a tomar banho, a brincar sem causar tumulto e, via de regra, comporta-se mal em todas as áreas, o problema de controle é bem outro.

Os pais muitas vezes lidam com a questão da troca de roupa oferecendo muitas escolhas. Quando sua filha de três anos não deixa você vesti-la com calças compridas, você logo pensa que talvez ela queira usar um vestido. Não? Bem, então, talvez ela não goste daquele vestido em particular. Você tenta outro vestido. E mais outro. Volta para as calças. A esta altura ela já está correndo pela casa completamente nua.

A despeito de seu filho pequeno ter ou não opinião sobre o que gostaria de usar, se você oferecer muitas escolhas quando ele se recusar a trocar de roupa, ele interpretará cada escolha oferecida como um sinal de que você se rendeu e ele ganhou a batalha. O que a criança realmente quer talvez não tenha nada a ver com roupas – ela simplesmente quer fazer as coisas a seu modo. Outra maneira com que os pais costumam reagir a este tipo de situação é tentando vestir a criança como se ainda fosse um bebê que nem consegue enfiar o braço na manga. Se você tenta forçar a criança a se vestir, logo encontrará um limite físico – o seu. Crianças pequenas não são bebês desamparados. Conseguem chutar, torcer, contorcer, fugir sem pestanejar. Para completar, irrompem num acesso de raiva. E tudo que você queria fazer era calçar os sapatos no pequeno.

A troca de roupa costuma ser um problema porque estamos sempre na correria. Para os pais, esse é um momento em que tudo tem de ser feito bem "rápido, rápido!", pois geralmente antecede algum outro evento – está na hora da caminhada, de pegar os filhos mais velhos na escola, de se aprontar para dormir. Você está de olho no relógio. Quer apressar as coisas. À menor insinuação de que está sendo apressada, a criança pequena se revolta. É por isso que vestir a criança pode terminar levando o dia todo.

É possível reverter esse tipo de problema rapidamente com uma combinação de técnicas. A primeira é ter certeza do que gostaria que a criança usasse e reduzir todas as escolhas para ela. A segunda é envolver a criança no que você está fazendo e encorajá-la a aprender como se vestir. E a terceira é enfrentar essas repetidas brigas com autoridade firme e imparcial.

O QUE VAMOS USAR HOJE?

"O que vamos usar hoje?" não é uma pergunta a ser feita a uma criança. Talvez você pense em fazer esta pergunta por achar simpático pedir a opinião da criança sobre o que ela quer usar ou porque acredita que fugirá de uma explosão potencial ao deixá-la escolher a roupa. A criança pequena imediatamente pensará que: a) você não sabe a resposta – do contrário, por quê perguntaria? – e b) vestir-se é opcional. Tudo o que as escolhas oferecem à criança pequena é uma incerteza. Como alguém tem de ser responsável, ela entende que está no comando e assim se comportará.

Quando você dá total escolha a uma criança maior, que já é capaz de ter opinião sobre o que gostaria de usar, mas ainda não sabe fazer escolhas adequadamente, não se surpreenda se ela pegar um colorido top de verão para um passeio no parque em pleno inverno. É mais do que apropriado orientar uma criança mais velha sobre o que ela deve usar. E ao invés de permitir que ela pegue qualquer coisa do guarda-roupa, dê a ela duas ou três escolhas, todas adequadas à ocasião e à temperatura. Outra forma de evitar o problema é colocar as roupas de verão noutro lugar durante o inverno e vice-versa, exatamente como costuma fazer com seu próprio guarda-roupa.

Nunca ignore quando a criança se recusa repetidamente a usar um item em particular alegando ser desconfortável. Preste atenção se ela diz toda vez que usa uma malha, que a roupa é muito apertada. Algumas crianças detestam sentir o toque de lã na pele e dizem que a roupa "pinica". É uma pena se sua tia tricotou o agasalho com tanto carinho, mas seu filho se sente numa camisa de força dentro dele, não o obrigue a usá-lo.

A maneira de acabar com o calor da discussão sobre o que vestir e também aliviar um pouco a pressão no horário matinal é tirar as roupas do armário na noite anterior. Pegue as roupas e explique à criança que amanhã ela usará aquele jeans e aquela blusa para visitar a amiguinha. Assim, a troca de roupa não será mais um problema em si, fará parte da expectativa, que inclui sair para um passeio.

INCENTIVANDO A CRIANÇA A SE VESTIR

Se você analisar do ponto de vista da criança, ser vestido por alguém pode ser um pouco alarmante. Num segundo seus braços são enfiados manga abaixo, então suas pernas são forçadas para dentro das calças e antes que você perceba, uma camisa desce por sua cabeça sem que possa ver ou respirar direito.

Se você veste uma criança com pressa, é provável que não consiga ser gentil como deveria ou que não tenha tempo necessário para prepará-la para o que virá em seguida. Você não gostaria que alguém duas vezes maior que você enfiasse uma camiseta pela sua cabeça sem avisar ou empurrasse seus braços forçando-os pela manga abaixo ou ainda fechasse o zíper tão rápido ao ponto de beliscar sua pele.

Mesmo quando a criança é muito pequena, você pode encorajá-la a se vestir sozinha. O primeiro estágio é envolvê-la no processo para que ela não se sinta empurrada de um lugar para outro. Narre cada etapa da troca de roupa e diga o que fará em seguida.

"Agora vamos colocar a sua camiseta. Pode enfiar seu braço na manga, por favor? Muito bem. Agora você tenta enfiar o outro braço". Muitos elogios fazem com que tudo flua suavemente.

O segundo estágio é para encorajar um envolvimento mais ativo. Torne mais fácil à criança aprender a se vestir sozinha escolhendo roupas que não tenham fechos complicados. Ela ainda não consegue dar laços nos sapatos ou abotoar botões cheio de detalhes, mas já pode fechar um zíper ou puxar um cordão. Sapatos com fecho de velcro são melhores para seus filhos do que os de cadarços ou fivelas.

Brincar é outro modo de incentivar a criança a se vestir. Afinal, em que consiste vestir e despir bonecas? Outra idéia é comprar um desses brinquedos educativos que ensinam às crianças algumas habilidades básicas para se vestir, como abotoar e amarrar cadarços.

Enquanto seu filho aprende a se vestir, tudo ainda será frustrante e a frustração pode virar um ataque de raiva num piscar de olhos. Não o predisponha ao fracasso. Não decida de repente que ele é perfeitamente capaz de se virar sozinho, largando-o por conta própria e esperando para corrigir quando ele errar. Mostre como fazer e desperte o interesse da criança. Calce um dos sapatos e peça para ela colocar o outro. Explique como se faz. "Passe a tira pela fivela – isso! Agora puxe".

Problema

RECUSAR-SE A COLOCAR / TIRAR A ROUPA

Crianças pequenas sempre prolongam ou evitam a hora de se trocar como forma de adiar o momento de ir para cama. O problema não são as roupas. Ter exatamente aquele tipo de moletom, com a marca da moda, naquela cor especial será problema somente bem mais tarde. E, apesar de muitas crianças pequenas amarem tirar toda ou algumas peças e correrem por aí nuas em pelo, elas não têm nada contra as roupas em si. Estão apenas se divertindo com a nova experiência – o desfazer (neste caso, o despir-se) sempre vem antes do fazer. Crianças que transformam a troca de roupa em episódios de gritaria e chutes precisam de um controle firme e justo. Pode parecer um problema secundário, mas se você não o resolver, talvez passe o dia todo lutando para manter seu filho trocado.

Solução

PREVENÇÃO / TÉCNICA DO DEGRAU DO MALCRIADO

- Arranje tempo suficiente na rotina de seu dia para vestir a criança. Você consegue se vestir num segundo e talvez nunca tenha pensado na troca de roupa como uma atividade, mas a criança precisa de muito mais tempo para isso.

- Separe as roupas na noite anterior e não dê muita escolha. Duas opções são o suficiente para uma criança pequena. Ela não tem sensibilidade para escolher o que lhe convém, e estilo ainda é uma questão totalmente irrelevante. Se deixá-la por conta da própria imaginação, ela se contentará em ir nua ao supermercado ou em usar as calças na cabeça.

- Para uma criança de três anos de idade, você pode aumentar as escolhas para três, separando roupas apropriadas para a ocasião e o clima.

- Envolva a criança e encoraje-a a trocar de roupa estabelecendo pequenas metas realizáveis.

- Faça sempre um comentário positivo e envolvente. E não se esqueça de elogiá-la bastante.

- Torne a atividade divertida, como se fosse uma brincadeira. Quando a troca de roupa torna-se um verdadeiro problema – se leva a um comportamento desafiador ou agressivo – use a *Técnica do Degrau do Malcriado* (veja a página 92). Não se esqueça de incluir as etapas de Avisos e Explicação.

Problema

FANTASIADO DE DOMINGO A DOMINGO

Não é preciso ser Halloween para se ver várias princesas de conto de fadas ou heróis das histórias de ação fazendo compras com seus pais num sábado de manhã. Para ser sincera, já sai na rua vestida de Homem-Aranha. Se a criança coopera razoavelmente para se vestir na maioria das vezes e não transformou a troca de roupa em um festival de frescuras, não há mal algum em usar a fantasia para ir ao supermercado ou colocar um fuseau de malha que fica simplesmente horroroso com a saia. Os pais precisam aprender a não esquentar. Crianças que parecem fantasiadas o tempo todo não passarão a vida toda se vestindo assim. Deixe a criança ser criança e vestir-se como quiser. Faz parte do jogo. Realmente começa a incomodar quando a criança desenvolve uma preferência excêntrica por determinada cor ou peça de vestuário, recusando-se a usar outra cor além do verde ou outra camiseta além daquela com um dinossauro na frente. Se você entrar nessa, poderá levar meses para encerrar o assunto.

Solução

PREVENÇÃO

- Fique de olho nos sinais de excentricidade. É muito mais fácil cortar o mal pela raiz do que tirar a criança de um modelo de comportamento que se repete há muito tempo.

- Talvez você precise dar alguns passos para trás se a criança der sinais de extravagância no vestir. Em vez de oferecer uma escolha limitada, não lhe dê nenhuma opção. Pegue as roupas certas na noite anterior e tire de vista o conjunto pelo qual ela está obcecada. Diga que está lavando – afinal, depois de tanto uso, estava precisando de uma boa lavada!

- Seja efusivo ao reconhecer as ocasiões em que ela se vestiu sem transformar a atividade num esforço absurdo. Um quadro com estrelas é uma boa maneira de demonstrar sua aprovação.

HIGIENE

Higiene – banho, escovar os dentes, lavar e desembaraçar o cabelo, lavar as mãos e o rosto, cortar as unhas da mão e do pé – são atividades bastante relacionadas à troca de roupas na rotina diária. A maioria das crianças pequenas adora água e não precisa de muito encorajamento para fazer molhadeira ao usar a pia ou a banheira.

O que você precisa, além de dar uma mãozinha e supervisionar, é lembrá-las constantemente de seguir a rotina. Uma criança pequena não deixa de escovar os dentes ou lavar as mãos porque odeia a idéia de dentes limpos e mãos limpas – isso nem passa na cabeça dela.

🐻 Dê avisos claros e repetidos para qualquer mudança de atividade, especialmente se a criança está fazendo alguma outra coisa, como achar uma peça do quebra-cabeça. Pense sob o ponto de vista deles. Você não gostaria de estar redigindo um e-mail e ser interrompido por alguém pedindo que levasse o lixo para fora. As crianças se recusam a tomar banho quando o pedido surge inesperadamente. Não é que não gostem de tomar banho – na verdade, ficarão bem felizes assim que você consiga colocá-las lá – apenas não gostam de parar o que estavam fazendo e começar outra coisa sem aviso prévio. Você terá o mesmo tipo de recusa quando chegar a hora retirar a criança do banho se não avisá-la antes.

🐻 Não pergunte, diga: "quero que você escove seus dentes agora, por favor" ou "escove os dentes por favor!" É melhor lembrar do que fazer a pergunta, que sempre dá brecha a um "não" ou "não quero".

🐻 Use a Técnica do Envolvimento quando precisar dividir sua atenção entre a criança pequena e os irmãos menores. Faça com que ela o ajude em algumas tarefas, como colocar pasta na escova de dentes, e faça um belo elogio por isso.

🐻 Deixe seu filho ver você escovar os dentes, lavar o cabelo, lavar o rosto. As crianças aprendem muito mais observando do que ouvindo. Também aprendem vendo as crianças mais velhas. Explique o que está fazendo – "vamos tirar todas esses pedacinhos de batata e cenoura de seus dentes" – e mostre a elas ao mesmo tempo. "Vou escovar meus dentes também".

🐻 Gosto de usar mímicas e musiquinhas. Por exemplo, "é assim que escovamos os dentes (ou lavamos o rosto), escovamos os dentes, escovamos os dentes..."

🐻 Use pouca pasta de dentes, uma bolinha do tamanho de uma ervilha é o suficiente, pois há flúor na água também. Incentive a criança a escovar os próprios dentes, mas reforce a escovação quando ela tiver terminado para ter certeza de que os dentes de trás estão limpos também.

🐻 Algumas crianças detestam lavar os cabelos. Pode ser que a água as assuste, ou o medo de que a água entre no nariz, ou o xampu que arde nos olhos, ou talvez não gostem do chuveirinho. Deixe que a criança veja você lavar seu próprio cabelo e explique para que servem o xampu e o condicionador. Dê-lhe uma toalha para cobrir o rosto se isso a faz sentir-se mais segura. Você também pode comprar um protetor que não deixe a água e o xampu escorrerem pelo rosto da criança. Se seu filho detesta o chuveirinho, use uma xícara de plástico para enxaguar o cabelo. Gosto de avisar as crianças quando vou enxaguar seus cabelos. "Um, dois, três. No 'três', a JoJo vai despejar água".

🐻 Sempre coloque um tapetinho de borracha no chão para que seu filho não escorregue. Teste a água para ver se não está muito quente ou muito fria – crianças se queimam muito facilmente.

Use uma banqueta como apoio para ela alcançar a pia e escovar os dentes ou lavar o rosto. As crianças aprendem melhor quando podem ver o que estão fazendo – precisam estar em uma altura suficiente para olharem-se no espelho.

🐼 Algumas crianças se recusam totalmente a entrar no banho. Leve o assunto a sério e não force o pequeno. Tente entender o que está por trás disso. Se a criança apresenta um medo real da água, conquiste sua confiança aos poucos. Coloque-a de pé na banheira pequena e passe a esponja nela. Depois, dê-lhe um banho na banheira de bebê com pouca água antes de incentivá-la a voltar para a banheira grande. Saia para nadar com seu filho a fim de torná-lo mais confiante. Coloque-o na banheira com você e mostre que não há nada a temer.

🐼 Torne a hora do banho divertida com brinquedos e jogos. Banhos de espuma são estimulantes. Outra sugestão é deixar a criança assoprar bolhas no banho – é o lugar perfeito para esse tipo de bagunça. Faça brincadeiras de imitar – "mostre para mim como faz um golfinho!"

MINHAS *10* REGRAS DE OURO

Em resumo, seguem minhas dez regras de ouro para troca de roupas e higiene:

1. ELOGIOS E PRÊMIOS
Elogie a criança quando fizer algo adequado – não precisa ser na primeira vez! Use um quadro com estrelas para reforçar o bom comportamento ou para cortar a mania de andar fantasiado.

2. CONSISTÊNCIA
Tenha certeza que você e seu parceiro seguem a rotina do mesmo modo e têm as mesmas regras. Isso também se aplica quando é hora de incentivar a criança a se vestir – não desestimule suas tentativas de aprender fazendo tudo por ela.

3. ROTINA
Reserve tempo suficiente em sua rotina para a troca de roupas, especialmente no começo do dia. Não espere vestir a criança em segundos!

4. LIMITES
Não dê às crianças pequenas muitas opções sobre o que vestir. Deixe claro que você espera que se vistam sem bagunça e que obedeçam quando ouvirem que chegou a hora de se trocar. Ao mesmo tempo, seja realista quanto ao que elas conseguem fazer e em qual velocidade.

5. DISCIPLINA
Reforce suas regras com controle firme e justo. Se a troca de roupa se transformar em um momento de agressão, provocação e outras formas de comportamento inaceitável, use a Técnica do Degrau do Malcriado e não se esqueça de passar pelas fases de Avisos e Explicações.

6. AVISOS
Lembre várias vezes as crianças quando estiver chegando a hora de se vestir, de se lavar ou de entrar e sair do banho. Não as obrigue a mudanças repentinas de atividades. Diga o que irá acontecer a cada instante.

7. EXPLICAÇÕES
Mostre e diga à criança como se vestir e escovar os dentes. Explique porque é importante estar limpo e para que servem os diferentes produtos. Faça comentários constantes, de um jeito brincalhão.

8. AUTOCONTROLE
Não grite com a criança ao dizer o que ela tem de fazer. Use uma voz calma, mas com autoridade. Não apresse a criança nem a deixe perceber que você está com o tempo curto. Não tente enfiar-lhe as roupas na marra.

9. RESPONSABILIDADE
Encoraje a criança a se vestir. Facilite a aprendizagem evitando roupas com fechos complicados. Use a Técnica de Envolvimento quando precisar cuidar dos demais filhos.

10. RELAXAMENTO

Transforme a hora do banho em alegria com brincadeiras de "imitação". Esta é uma boa oportunidade para a criança se soltar, relaxar e brincar antes de diminuir o ritmo para dormir. Esta mesma abordagem descontraída também funciona para se vestir.

Treino de toalete

Muitos pais ficam obcecados para tirar a criança das fraldas. Deixe-me dizer-lhe que qualquer criança que já consegue usar o penico com dois anos está indo incrivelmente bem – e isso não deve soar como um objetivo que você tenha de alcançar. O treino de toalete deve ocorrer em algum momento entre dois anos e meio e três, quando terminará muito mais rápido. Se agir no tempo certo, poderá ensinar a criança a usar o vaso em uma ou duas semanas. Se começar a treiná-la antes da hora, ou se iniciar e parar o treino de acordo com a sua conveniência, prepare-se para uma aprendizagem demorada, que pode seguir meses a fio.

Lógico que tirar a criança das fraldas é uma fase bem-vinda para os pais. Mas tenha em mente que nos dias de hoje, com fraldas descartáveis, você não estará dizendo adeus a horas de lavanderia para deixar de molho malcheirosos panos em baldes com desinfetante e alvejante. Estará apenas cortando mais um item das compras semanais e se livrando de uma tarefa um tanto desagradável de sua rotina doméstica.

Embora não deva começar o treino muito cedo, o que você pode fazer é preparar a criança para esta etapa quando chegar a hora, tendo uma postura relaxada e descontraída em relação às funções naturais do organismo. Creio que ficamos por demais tensos com este tipo de coisa. As várias piadas existentes em relação às necessidades fisiológicas são um sinal seguro de que muitas pessoas ainda não se sentem à vontade em relação ao que deveria ser um simples fato da vida – o que entra tem de sair.

COMO IDENTIFICAR QUE A CRIANÇA ESTÁ PRONTA

O desenvolvimento físico que ao final permitirá à criança controlar a bexiga e o intestino acontece por volta dos 18 meses. Contudo, ela precisará de mais tempo, normalmente mais um ano e tanto, para conseguir reconhecer quando precisa ir ao banheiro e fazer algo a respeito sozinha.

Um bebê urina ou defeca por reflexo, em geral após comer ou durante a refeição. Pouco depois dos dois anos de idade, a criança começa a notar uma sensação diferente quando isso está prestes a acontecer. Às vezes ela anuncia o fato com alguns segundos de antecedência ou mesmo quando está fazendo xixi ou cocô. Isso por si só não basta para eliminar o uso das fraldas e começar a usar o penico, mas é um sinal de que logo a criança estará pronta.

Outro modo de dizer se a hora certa está chegando é examinar a fralda da criança. Veja se a fralda está tão molhada quanto a quantidade de líquidos que tomou, antes de colocá-la para dormir à tarde. Se a fralda permanece seca e limpa por mais tempo, ela está quase no ponto de ter controle voluntário.

A maioria das crianças consegue controlar o intestino antes da bexiga. Como não há tanta urgência atrelada à necessidade de fazer cocô, é mais fácil segurar um tempinho. Mas com alguns pequenos, o processo pode acontecer ao contrário. Ficar seco à noite é sempre o último estágio. Quando a criança estiver realmente pronta, você poderá treiná-la a ir ao banheiro para que fique limpa e seca durante o dia. Mas não espere fazer isso sem colocar uma fralda durante a noite por algum tempo ainda.

Outra razão pela qual o treino de toalete precoce está fadado ao fracasso é que a comunicação é vital ao sucesso. Na melhor das hipóteses, aos dois anos de idade, o comando da fala da maioria das crianças ainda está incompleto. É necessário que você possa explicar o processo e ensiná-la a perceber os sinais. E ela precisa ser capaz de dizer a você – ou ao adulto que toma conta dela – quando está pronta para ir ao banheiro. Os pais costumam perceber pelo olhar ou postura dos pequenos quando eles estão prestes a encher as fraldas. Mas ficar de cócoras ou uma expressão facial previsível não é o bastante para continuar com o treino.

Se a criança parece estar pronta, mas há uma quebra de rotina na casa – a família está de mudança, o casal espera um novo bebê, ou alguma coisa fora dos eventos diários – pare com o treino até que tudo tenha voltado ao normal.

COMO APLICAR O TREINO DE TOALETE

Prepare a criança para o treino deixando de lado qualquer insinuação de vergonha ou nojo sobre o que é simplesmente um fato natural da vida. Não desapareça atrás de uma porta trancada quando for ao banheiro. Mantenha a porta aberta. Traga-a ao banheiro com você. Explique o que está acontecendo, para que serve o papel higiênico e mostre como você lava as mãos depois disso. Se preparar a criança do modo certo, poderá ensinar duas coisas de uma vez: como usar o sanitário e noções de higiene.

Compre um penico para deixar em casa e outro para sair. Acho que os penicos devem ser simples. Não os transforme em uma grande coisa. Não são tronos, brinquedos ou acentos, são apenas privadas acessíveis e portáteis.

Do mesmo modo, não sou fã de calça plástica, que algumas pessoas usam como estágio intermediário entre a retirada das fraldas. Na minha opinião, a criança usa fraldas ou não. Qualquer outra coisa apenas serve para confundir. A única situação em que usaria calça plástica é quando a criança acabou de abolir o uso da fralda durante a noite.

Embora os penicos devam ser simples e sem enfeites, as calcinhas e cuecas podem ser bem divertidas. Eis aqui um prêmio óbvio para treinar a ida ao banheiro com sucesso. As crianças em geral ficam eufóricas quando começam a usar roupas íntimas. Calcinhas e cuecas estampadas com personagens dos filmes ou desenhos animados favoritos da criança são muito mais interessantes.

Quando o treino de toalete coincide com o verão, você pode deixar a criança brincando peladinha da cintura para baixo, desde que a estimule a continuar usando o penico. Entretanto, às vezes isso pode ser contraproducente. Se a criança não aprender o que é se sentir molhada, terá menos incentivo para controlar os esfíncteres. Se ela molhar as calças, não se apresse em tirá-las logo em seguida. Deixe-a aprender que esse é um desconforto que ela deve tentar evitar.

Dicas para o treino:

- Aprenda a identificar os sinais de quando a criança precisa ir ao banheiro. Apertar os órgãos genitais é um deles.

- Durante o período de treino, não ponha roupas complicadas. Calças com elástico na cintura, que podem ser abaixadas rapidamente, são melhores do que macacões com botões, cordões ou zíperes.

- Anote mentalmente quanto líquido você dá à criança ao longo do dia.

- Explique o que sentimos quando queremos ir ao banheiro. "Sente isso na barriguinha?" Aperte sua barriga bem embaixo e mostre a ela sobre o que está falando. Não precisa entrar em detalhes explícitos. Isto não é uma aula de anatomia. Tente apenas fazê-la entender a ligação entre a sensação e o que acontece depois.

- Quando seu filho terminar de fazer xixi ou cocô, elogie-o. O treino de toalete é totalmente baseado em reconhecimento e aprovação e requer um constante estímulo positivo.

- "Você está com vontade de fazer pipi?" Pergunte, repita e repita novamente. Um milhão de vezes ao dia se necessário.

- Mantenha o penico à mão. Mas não o coloque em frente ao aparelho de TV. Se o penico fica em frente à televisão, acaba se transformando num assento e a criança perde a concentração e a mensagem. Quando ela começar a entender bem a finalidade, mantenha o penico no banheiro onde é o lugar dele.

- Incentive a criança indo ao banheiro junto com ela.

- Tenha em mente que algumas crianças são tímidas e gostam de ir para um canto ao usar o penico. Se a criança quer privacidade, dê isso a ela.

- Tão logo comece o treino, exponha a criança a diferentes situações. Não se confine por uma semana ou duas, que é o tempo médio do treinamento. Deixe–a experimentar como é sair no frio. Leve-a para uma caminhada no parque ou uma volta de carro. Não ponha a fralda nesses passeios. Leve o penico de viagem e esteja preparado para um rápido "pipi-stop". A parada deve ser rápida e tranqüila.

- Antes de sair, adiante-se e diga à criança para fazer pipi.

- Seja coerente. Este é o segredo absoluto. Suas inconveniências são secundárias. Se você vai para a casa de seus pais no fim de semana, não ponha fralda na criança de novo só para evitar perturbação. Se puder usar cueca ou calcinha num instante, mas tiver de voltar às fraldas no outro, ela ficará confusa.

- Fique calmo e confiante. Não sobrecarregue a situação com ansiedade ou culpa nem tente apressar as coisas.

- Não seja invasivo. Quando tenho de colocar a criança no vaso sanitário de um banheiro público e preciso mantê-la segura pelas mãos ou joelhos, sempre olho para outro lado para que ela possa se concentrar.

O USO DO TOALETE

O penico é um lugar mais seguro para a criança treinar como usar o toalete do que a privada. Nesta, ela permanece sentada com os pés balançando muito acima do chão, empoleirada num acento que é muito maior e mais largo do que seu bumbum. Muitas crianças pequenas acham o barulho da descarga assustador – especialmente quando estão sentadas no vaso!

Em algum momento, entretanto, a criança estará pronta para abandonar o penico. Facilite essa adaptação colocando um banquinho para que ela possa sentar sem dificuldade. Coloque na privada um assento infantil, assim seu filho não se sentirá como se estivesse caindo pelo buraco.

Aproveite cada oportunidade para associar o treino de toalete à higiene. Lembre a criança de lavar as mãos e verifique se lavou mesmo. Com a idade de quatro ou cinco anos, é perfeitamente razoável esperar que a criança já possa limpar o bumbum sozinha. Ofereça lenços umedecidos se achar mais fácil. Depois que a criança terminou, verifique sempre se ela se limpou direito.

INCIDENTES

Todas as crianças passam por incidentes, molham as calças e se sujam uma ou duas vezes. Esses incidentes sempre acontecem quando a criança está superagitada ou muito distraída para captar o que seu corpo está tentando lhe dizer. Quando isso acontecer, a criança ficará nervosa. Não crie caso. Excesso de atenção ou carinho poderia levar o pequeno a pensar que os incidentes são úteis. Simplesmente trate o episódio com calma e naturalidade. Diga-lhe que essas coisas acontecem e esqueça o assunto.

É possível evitar tais incidentes com expectativas mais razoáveis. Quando uma criança diz que quer ir ao banheiro, ela quer ir. Leve-a a sério e não espere que ela seja capaz de esperar por muito tempo.

Às vezes a criança tem um incidente porque é muito preguiçosa para ir ao banheiro ou porque acha que vai perder algo que é muito mais interessante. Faça-a saber que isso não é aceitável. Se ela estiver usando os incidentes como uma tática de adiamento – segurando até que seja tarde demais – tire esse fardo de cima dela. Tome a iniciativa e diga para ela ir ao banheiro agora. Antes de entrar no carro, por exemplo.

Molhar a cama é sempre um sinal de que você retirou as fraldas noturnas muito cedo. É preciso ter várias noites de fraldas secas em seguida antes de aboli-las à noite. Mas molhar a cama também pode indicar algum tipo de aborrecimento emocional. Dormir numa cama estranha é o suficiente para colocar algumas crianças em pânico. É evidente que o nascimento de um irmãozinho ou irmãzinha, uma mudança ou um pesadelo também podem levar ao mesmo resultado. Esses problemas são emocionais e precisam ser abordados delicadamente e sem uma carga de culpa. Molhar a cama também tem a ver com períodos de doenças.

Se o fato de urinar na cama está associado ao medo do escuro e à relutância da criança em ir ao banheiro de madrugada, mantenha um penico no quarto à noite e deixe um abajur ligado.

Problema

URINA PERSISTENTE DURANTE O SONO
(ENURESE NOTURNA)

Crianças mais velhas que molham a cama com persistência estão longe de ser uma raridade. A enurese noturna é um aborrecimento para a criança e um trabalho para você. Há muitas razões para a urina durante o sono. Problemas emocionais ou de estresse geralmente são os responsáveis. Outra possibilidade é uma infecção urinária na criança. Se você já descartou as causas óbvias e os incidentes continuam acontecendo com regularidade preocupante, é bem provável que ela esteja usando o fato como um meio de chamar atenção. Se a criança urina durante o sono com freqüência, não fique tentado a trazê-la para a própria cama. Sem dúvida, você não vai disciplinar uma criança que fez pipi na cama, mas também não vai recompensá-la.

Solução

QUEBRE O PADRÃO

Seja qual for a razão por trás da enurese noturna, o importante é quebrar o padrão. A forma mais eficaz é levantá-la da cama, sentá-la no penico ou na privada e tentar fazer com que ela urine uma última vez à noite, logo antes de você ir dormir. Se a criança costuma dormir bem, tente fazer isso com um mínimo de estardalhaço e ela cairá direto no sono de novo. Também é prudente tomar menos líquido após o jantar. Uma criança que bebe um enorme copo de leite ou suco logo antes de ir para a cama terá mais dificuldade de se manter seca.

Problema

DESCONTROLE INTESTINAL

Este é um problema difícil de resolver. O descontrole intestinal coincide muitas vezes com uma doença, com fases em que a criança está preocupada, assustada ou distraída, ou ainda quando há uma ruptura na rotina familiar. Sempre dê à criança o benefício da dúvida e continue o treino. Se você se apressar e disciplinar a criança por fazer cocô na calça, é possível que o treino de toalete se atrase em alguns meses.Alguns garotos acham mais difícil controlar os intestinos do que a bexiga. Outros acham que os movimentos do intestino são a verdadeira causa da ansiedade. Eles podem ficar assustados com o movimento em si ou em ver o resultado desse barulho. Por essa razão, tentam impedir e seguram até que a natureza assuma o controle e então acontece o incidente desastroso. É importante ser sensível, mas não os adoce demais. Use um tom leve e diga: "isso aconteceu porque você segurou. Tudo bem." Explique o motivo do incidente.

Solução

NÃO FAZER ESTARDALHAÇO

Se os incidentes continuam a acontecer, é quase desnecessário dizer que você deve alocar um tempo extra na rotina para despir e limpar a criança, e vesti-la com roupas limpas. Não a apresse quando ela está no penico. Não dê a menor idéia de que o tempo está passando ou que você está ansioso por causa disso. Sempre que houver um incidente desses, limpe seu filho, mas não dê demasiada atenção. Assim que ele deixar de fazer cocô nas calças, não economize os elogios.Às vezes a ansiedade causada pelos movimentos intestinais pode provocar prisão de ventre. Sempre coloco as crianças que estão com dificuldade de evacuar, qualquer que seja o motivo, em um banho quente. Isso ajuda a relaxar os músculos. Se a constipação intestinal for um problema freqüente, inclua bastante frutas frescas e legumes na dieta da criança e ofereça também muito líquido.

MINHAS 10 REGRAS DE OURO

Em resumo, seguem minhas dez regras de ouro para o treino de toalete

1. ELOGIOS E PRÊMIOS
Faça muitos elogios e estimule a criança durante cada etapa do processo. Calcinhas e cuecas com motivos infantis são um grande incentivo.

2. CONSISTÊNCIA
Quando começar o treino de toalete não pare de modo algum. Mantenha o treino ainda que lhe cause alguma inconveniência. Não use calças plásticas como uma etapa intermediária do desenvolvimento. Isso só atrapalha o processo.

3. ROTINA
Não apresse as coisas. Dê tempo para a criança ir ao banheiro antes de sair de casa e lembre-a disso sempre que tiver oportunidade.

4. LIMITES
Tenha expectativas realistas sobre o treino de toalete. Não fique tentado a começar muito cedo ou o processo todo se arrastará por meses. Aprenda a detectar os sinais de emergência. Mantenha os penicos no banheiro das crianças. Não tire a fralda noturna tão cedo.

5. DISCIPLINA
Estímulo positivo é a chave para o treino de toalete. Jamais discipline a

criança por causa de incidentes. Diminua a possibilidade de seu filho urinar durante o sono colocando-o no penico ou na privada como a última atividade noturna antes de ir para a cama.

6. AVISOS
Durante o período de treino de toalete, pergunte continuamente à criança se ela quer ir ao banheiro. Mesmo depois de ter sido treinada, continue perguntando em horários críticos do dia. Crianças pequenas não conseguem esperar muito tempo quando precisam ir ao banheiro.

7. EXPLICAÇÕES
Ensine à criança como a gente se sente quando quer ir ao banheiro. Mostre e diga a ela o que acontece quando usamos o vaso sanitário – deixe que ela o veja ir ao banheiro e lavar as mãos. Aproveite para ensiná-la sobre higiene.

8. AUTOCONTROLE
Não faça um escarcéu sobre os incidentes ou quando ela molhar a cama vez por outra. Se a criança pedir, dê a ela privacidade.

9. RESPONSABILIDADE
Incentive a criança a lavar as mãos e se enxugar corretamente assim que ela for capaz.

10. RELAXAMENTO
Aborde de maneira aberta e descontraída o treino de toalete. Isso faz parte da vida.

Alimentação

Alimentar uma criança deveria ser simples. Não falta informação sobre o que é uma boa dieta balanceada. Hoje em dia, não temos de caçar, plantar ou colher nossa comida – simplesmente temos que ir ao mercado. Em tese, bastaria colocar uma tigela ou um prato com a comida especial em frente da criança no café da manhã, no almoço ou no jantar e deixar a fome fazer o restante. Quem dera fosse assim tão simples!

Com muita freqüência, a hora da refeição vira uma batalha com muitas frentes. Primeiro, você comprou e cozinhou alimentos bons e nutritivos, mas seu filho decidiu que a comida tem gosto de veneno. Depois, tem toda a questão de sentar-se à mesa que, para ela, tornou-se algo praticamente opcional. E – por último, mas não menos importante – há o que a criança realmente gostaria de comer: salgadinhos, biscoitos, chocolate, doces e bebidas adocicadas. Você perdeu a conta de quantas vezes a criança pediu por biscoitos, mas é claro que nunca a ouviu implorando por brócolis.

Como em várias outras áreas da vida diária, comer é uma atividade em que crianças pequenas logo começam a exercitar seu desejo de independência. Não leva muito tempo para perceberem o óbvio: você não pode obrigá-las a comer. Assim que se dão conta disso, sabem que a comida é uma das coisas com que os pais mais se preocupam.

É compreensível que os pais se preocupem com a alimentação dos filhos. Desde o primeiro choro de fome do recém-nascido, você saberá que dar comida à criança em intervalos regulares é vital para o desenvolvimento e crescimento dela. E você não apenas saberá, mas também sentirá.

Nas primeiras semanas e meses de vida, a alimentação é um momento de proximidade especial. É quando o elo emocional entre pais e filhos é aprofundado e estreitado. Mais tarde, se a criança se comporta mal na hora das refeições ou rejeita a comida oferecida, você logo achará difícil ser paciente e objetivo. A alimentação infantil é uma questão emocional desde o princípio.

Ao estabelecer rotinas, regras e limites, você separa a emoção da situação em si, e a hora da refeição volta a ser prazerosa. Quando as crianças são pequenas e mesmo depois dessa fase, cabe a você ensinar-lhes como comer, da mesma forma que é sua função dar-lhes os alimentos certos. Afinal, nenhum pai jamais deu um biscoito à criança por acidente!

Dê à criança alimentos nutritivos desde o início. Faça disso um modo de vida. As crianças não nasceram implorando por açúcar. Se oferecermos apenas refeições boas e nutritivas, elas não perceberão nenhuma diferença – um pêssego em pedaços será tão prazeroso para crianças habituadas à alimentação saudável quanto uma tigela de sorvete para as outras.

ALIMENTANDO BEBÊS

A despeito de a mãe amamentar no peito ou com mamadeira, tudo que o bebê precisa nos primeiros meses de vida é leite, com a opção adicional de água fervida e fresca. Nenhuma comida sólida deve ser introduzida antes dos quatro meses de vida; se o bebê estiver com fome, é sinal de que precisa de mais leite e não da primeira papinha. A introdução de alimentos sólidos antes que o estômago do bebê possa digeri-los apropriadamente pode causar problemas e também levar a reações alérgicas.

O leite materno foi programado pela natureza para dar ao bebê exatamente o que ele precisa: a quantidade certa de gordura, carboidrato e proteína junto com vitaminas, minerais e anticorpos importantes que impulsionam o sistema imunológico numa fase em que, sem esse poderoso alimento, o organismo estaria muito vulnerável a infecções. Embora não liberem os mesmos anticorpos, as fórmulas modernas de leite para bebês foram especificamente desenvolvidas para se assemelharem o máximo possível ao leite materno. Leite de vaca é para bezerros; no primeiro ano de vida os bebês não deveriam tomar leite de vaca nem em doses diluídas, pois contém proteínas demais.

AMAMENTAÇÃO

Mesmo mamando no peito por apenas algumas semanas, o bebê terá um bom começo. Se você decidir alimentar com mamadeira ou descobrir que precisa parar de amamentar por algum motivo, não seja dura consigo mesma nem permita que outras mães o sejam. Ainda assim, a criança receberá tudo de que precisa.

Amamentar nem sempre é um ato natural. Muitas mães de primeira viagem não recebem ajuda ou instrução suficiente sobre amamentação. Algumas acham que estão indo bem no início, mas encontram problemas mais tarde. Tais problemas ocorrem quando o bebê não pega o peito corretamente ou quando a quantidade de leite não está de acordo com a necessidade do bebê.

Dormir o suficiente e ter uma alimentação saudável é ABSOLUTAMENTE essencial. A fadiga também pode ter impacto na quantidade de leite que você produz.

"Pega" do mamilo

Um bebê recém-nascido instintivamente vira na direção do toque delicado em sua bochecha, que dá a mesma sensação de um suave toque da mama. Sentindo o mamilo, ele então começa a sugar vigorosamente. Quando o bebê abocanha o peito corretamente, quase toda a área mais escura do seio – a aréola – entra em sua boquinha, não apenas o próprio mamilo. Se ele sugar somente a ponta do mamilo, não drenará o peito de maneira eficaz. Em pouco tempo, você possivelmente ficará com mamilos doloridos, rachados e entupidos de leite nos canais, o que, por sua vez, pode levar a problemas mais sérios de mastite.

Oferta e demanda

Nos primeiros dois dias, você não produzirá leite de forma alguma. O que sai é um líquido fino aguado chamado colostro, que contém importantes anticorpos para proteger o bebê de infecções. Dois a três dias após o parto, seu leite surgirá, algumas vezes acompanhado pelo choro conhecido como depressão de "três dias" ou "pós-parto". Depois disso, seus seios produzirão leite de acordo com a necessidade do bebê. A natureza ajeitou as coisas de tal forma que quanto mais o bebê suga e se alimenta, mais leite você produzirá.

O crescimento do bebê pode parecer uma linha contínua no gráfico quando, na verdade, segue numa série de pequenos saltos. Um belo dia, após algumas semanas de alimentação em intervalos previsíveis, o bebê resolve querer mamar o tempo todo. É assim que ele aumenta o suprimento de leite para satisfazer suas necessidades de crescimento. Quando o objetivo é alcançado, os intervalos voltam ao normal. Ao mesmo tempo, se o bebê parece ainda querer mais após uma mamada completa, talvez esteja apenas sugando para dormir.

O leite será suficiente para o bebê apenas se você fizer uma dieta apropriada, beber bastante líquido e descansar o suficiente. A fome e a sede que a mãe sente quando amamenta são intensas. Algumas mães gostam de deixar uma garrafa térmica com chocolate ou sopa quente na cabeceira da cama para poder acalmar as cólicas de fome imediatamente.

Muito da ansiedade que acompanha a amamentação vem do fato de não vermos quanto o bebê está mamando. A maior parte do tempo essa ansiedade é equivocada. Para ficar mais tranqüila, pese o bebê regularmente no pediatra.

O USO DA MAMADEIRA

Assim como na amamentação, há uma técnica para alimentar com a mamadeira. Neste caso, você precisa se certificar de que o bebê tome o leite na medida certa, sem ingerir muito ar para não provocar desconforto abdominal. O buraco na ponta do bico deve ser grande o bastante para que várias gotas de leite passem por segundo e o próprio bico deve ter o tamanho certo para que o bebê possa abocanhá-lo da forma correta. Você pode estimular o bebê a pegar o bico da mamadeira tocando delicadamente em sua bochecha para que ele comece a sugar. Ele vira a boca na direção do toque, que é onde o bico deve estar. A mamadeira deve ser inclinada num ângulo que impeça a saída de ar pelo bico. Se o bebê engolir ar demais, poderá regurgitar e vomitar toda a comida. Sempre faço o bebê arrotar no meio da mamada só para garantir.

Embora com a mamadeira seja mais fácil ver o quanto o bebê está ingerindo, ainda assim pode acontecer de a quantidade ser insuficiente. Prepare um pouco mais de leite do que o recomendado para o caso de o bebê estar com um apetite maior do que o normal. Se ele tomar todo o conteúdo da mamadeira, talvez ainda queira mais. O que não se deve fazer, no entanto, é aumentar a proporção recomendada na fórmula. O bebê não ficará mais bem alimentado desse modo, apenas receberá um leite concentrado demais para seu sistema digestivo, o que pode causar prisão de ventre. Outra boa idéia é oferecer ao bebê um pouco de água fervida fresca de vez em quando, especialmente quando o clima estiver quente ou se ele estiver doente.

O uso da mamadeira tem uma grande vantagem. Possibilita que você faça as refeições com seu parceiro mais facilmente. E não deixe de fazer isso!

INTRODUZINDO ALIMENTOS SÓLIDOS

Entre quatro e cinco meses é a hora certa para começar a alimentar o bebê com alimentos sólidos. Você saberá que é a hora certa se ele estiver querendo comer cada vez mais ou se o ganho de peso diminuir sem motivo. Não espere uma mudança do dia para a noite entre o leite e a comida sólida: no início, você deixa o bebê apenas experimentar para que se acostume com a idéia. O leite continuará sendo o alimento principal.

Não há nada como a expressão facial de um bebê quando experimenta comida sólida pela primeira vez. Não é apenas o sabor, mas a textura e a consistência que causam maior surpresa. O bebê pode gostar de imediato ou pode não gostar de jeito algum. Cuspir tudo que tem na boca não quer dizer que não gostou da comida, mas apenas que ainda não sabe o que fazer com ela. Mas se houver muita resistência, espere uma semana ou duas e experimente lhe dar alguma outra coisa.

Os alimentos devem ser introduzidos gradualmente. É melhor oferecer um item de cada vez. Assim, você conseguirá observar quando o bebê gosta de um determinado prato ou não. Comece oferecendo comida bastante suave, não tão sólida, como mingau de arroz ou outro tipo de mingau feito com leite ou água fervida. Purê de frutas e legumes como o de cenoura, batata, maçã, pêra, ou uma banana ou abacate amassados são ótimas opções para iniciar a alimentação sólida.

NOVOS SABORES:

- Comece com a comida sólida em horários específicos. Pode ser no café da manhã ou no almoço.

- Use uma colher de plástico para alimentar o bebê e dê também uma colher para ele segurar. Apesar de não saber usá-la ainda, ele achará a experiência muito mais divertida.

- No início, não espere que ele seja capaz de comer mais do que umas duas colheradas de cada vez ao dia. No início, a maior parte vai parar no babador ou no chão em vez de ir para a boca. O bebê precisa de tempo para se acostumar com a idéia. Ele não está cuspindo a comida. Na verdade, está explorando a sensação, colocando a língua para dentro e para fora da boca. Esse movimento tende a deixar a comida aguada.

- Seja supercuidadoso com a higiene.

- Quando o bebê vira a cabeça para longe da comida, ou já está satisfeito ou não gostou do prato, não o force a comer. Apenas observe suas expressões faciais.

- Sempre teste a temperatura da comida para ter certeza de que não está muito quente. Hoje em dia, existem colheres que mudam de cor quando a comida está muito quente.

- Pique, transforme em purê, rale, amasse ou esprema os alimentos para que não sobrem pedaços duros que podem fazê-lo engasgar.

- Ao menor sinal de reação alérgica, não hesite e leve a criança ao hospital imediatamente.

O QUE EVITAR

Comece oferecendo legumes e frutas e só depois introduza proteína. Separar a comida por grupos ajuda a observar o surgimento de qualquer reação alérgica. Espere um pouco mais antes de dar determinados tipos de alimento ao bebê. As crianças podem ter alergias se ingerirem muito cedo itens como nozes, leite de vaca e ovos. Os sinais que devem ser observados incluem manchas avermelhadas na pele por causa da coceira, além de diarréia e vômitos repentinos.

Tenha cuidado com os seguintes alimentos:

SAL

Não coloque sal na comida nem ofereça comidas salgadas. Ele sobrecarrega os rins da criança.

AÇÚCAR

Bebês e crianças pequenas não precisam de alimentos doces nem quantidades adicionais de açúcar. A frutose encontrada em frutas e legumes já é o suficiente.

NOZES

Nem pensar. Podem provocar alergias e engasgos.

LEITE DE VACA

Adie a introdução do leite de vaca na dieta até o bebê completar um ano de idade. Nunca dê leite desnatado às crianças pequenas – elas precisam das calorias encontradas na gordura do leite integral.

OVOS

Espere até depois de um ano para introduzir o ovo inteiro. O mesmo é válido para produtos que contenham ovo.

FRUTOS DO MAR

É melhor não dar frutos do mar até que a criança tenha dois anos de idade.

FRUTAS CÍTRICAS

Elas podem irritar o estômago do bebê. Sempre tire a semente das frutas.

SEMENTES E COMIDA CRUA

Evite comida que possa causar engasgos, tais como sementes ou pedaços de alimentos sólidos. Comida crua, nem pensar!

DESMAME

Depois que a criança se acostumou com uma refeição de cerca de 12 colheradas por dia, você já pode começar a oferecer comida em outros horários. Se começou com uma papinha no almoço, agora poderá também introduzir algo mais consistente no café da manhã.

Ofereça suco diluído ou água fervida na hora das refeições ou ao longo do dia. Use a mamadeira ou um copo de plástico especial para bebês. Como as necessidades nutricionais do bebê são cada vez mais saciadas com alimentos sólidos e a sede satisfeita com água ou suco diluído, você pode começar a diminuir gradativamente o leite materno ou artificial, até o bebê ficar com uma mamada pela manhã e a última à noite.

Alguns bebês se desmamam de repente e passam a ter pouco interesse pelo peito ou mamadeira quando a comida sólida foi bem assimilada. Se a mãe estiver amamentando com mamadeira não há problema, mas se estiver amamentando no peito e o suprimento de leite não diminuir, os seios podem ficar doloridos e inchados por alguns dias. Retirar o leite mecanicamente não é a saída, pois apenas serve para estimular o suprimento como se a sucção fosse feita pelo bebê. Usar dia e noite um sutiã bem firme de amamentação pode ajudar muito, bem como um gel de aloe vera (babosa).

Com muita freqüência, o bebê que mama no peito continua querendo ser "amamentado" mesmo quando o suprimento de leite está próximo de zero. Neste caso, o que ele quer é o conforto do peito e não o leite em si. Basicamente, o que o bebê quer é usar o mamilo como calmante.

Se você quiser parar de amamentar e a criança se acostumou com comida sólida e está tomando líquido suficiente na mamadeira ou no copinho, diminua a amamentação para duas ao dia, se possível. Então espere até o bebê pular uma das mamadas e não ofereça mais o peito. Para muitas mães, esta é uma transição que implica uma perda emocional. Mas há ganhos também – a criança está pronta para o próximo estágio, assim como você.

Depois de seis ou oito meses o bebê precisa de mais nutrientes do que os contidos na mamadeira de leite. Se continuar amamentando a criança nos mesmos intervalos, ela ficará tão satisfeita que não terá apetite para a comida sólida que você está oferecendo.

Alguns pais acham que desmamar é um ato de malabarismo. Não há uma regra definida e invariável que possa ser aplicada a cada criança ou aos pais. Mas se você mantiver horários regulares para as refeições, não haverá razão para que não dê tudo certo.

CRIANÇAS PEQUENAS (DE 18 MESES A 3 ANOS)

Nas idades entre 18 meses e dois anos e meio, a criança é perfeitamente capaz de comer e digerir quase tudo o que o restante da família come, desde que seja amassado ou cortado em pedacinhos. Com o passar dos meses, ela também se torna cada vez mais capaz de comer sozinha usando uma colher e uma caneca especial (com tampa e canudinho).

Você deve ter notado que a criança come melhor em alguns momentos e não em outros, ou que tem mais apetite na hora do almoço do que no jantar. Se esse é o caso, adapte a quantidade dando mais comida na hora do almoço e uma refeição mais leve no jantar. Seja criativo no cardápio. Ofereça uma grande variedade de alimentos enquanto a criança ainda é pequena.

Recusar a comida pode ser característica da idade. Quando os pais enfrentam esta situação, sua ansiedade costuma ir às alturas. Tentam forçar a criança a comer e quando fracassam, como inevitavelmente acontece, começam a oferecer alternativas. Quando a comida é sempre recusada, acabam permitindo o consumo de biscoitos ou outro tipo de lanche que sabem que a criança comerá, só para terem certeza de que ela está se alimentando.

No auge da primeira infância, a criança percebe que a hora da refeição representa uma oportunidade de ouro para chamar atenção. É comum o pequeno travar a boca e virar a cabeça quando a colher estiver perto fazendo com que o conteúdo acabe dentro da orelha. Ele rejeita o prato favorito de repente. "Mas você adora macarrão com queijo!" E então ele começa a pedir biscoitos e bolos entre as refeições. Está declarada a Guerra da Comida.

Você pode evitar muitos dos problemas relacionados à alimentação se simplesmente relaxar. Se a criança está correndo por aí cheia de energia e não está enfraquecendo, certamente está recebendo os nutrientes necessários. Comer uma boa refeição por dia e beliscar a comida o resto do tempo não vai causar nenhum mal se este for o caso. Se você continua oferecendo uma dieta balanceada, que inclui todos os principais grupos de alimentos, e resiste à tentação de enchê-la de guloseimas açucaradas e engordativas de pouco valor nutricional, é provável que algumas das refeições terminem no lixo ou na geladeira. Contudo, terá evitado transformar as refeições num trunfo que permita à criança assumir o controle da situação.

ALIMENTANDO CRIANÇAS PEQUENAS

🐻 Tão logo a criança consiga manusear a colher e o copo, deixe que ela os segure. As refeições serão mais longas e mais bagunçadas, mas este é o tipo de independência que você deve encorajar. Ofereça alimentos que ela possa comer com a mão quando possível. Antes de conseguir manusear bem a colher, ela achará muito mais fácil usar os dedos para saborear pequenos sanduíches, pedacinhos de peixe, palitos de cenoura cozida e tirinhas de torradas.

🐻 Três refeições por dia é o padrão alimentar do adulto. De qualquer forma, continue oferecendo refeições à criança em horas determinadas, mas prepare-se também para lhe dar um lanchinho no meio da manhã e no meio da tarde. Fruta, iogurte, um bom pedaço de queijo, torrada e suco são muito melhores do que bolos, biscoitos ou outro tipo de guloseima.

🐻 Faça porções pequenas. Uma criança de dois anos de idade não precisa da mesma quantidade de comida de um adulto. Sem contar que uma porção enorme pode desanimá-la. O tamanho do prato infantil – aproximadamente do tamanho de um prato de sobremesa normal – é uma boa indicação do tamanho correto da porção.

- Elogio e encorajamento fazem parte deste estágio. Se ela já comeu o bastante, não a obrigue a "limpar o prato".

- Continue variando a comida. Você nunca saberá se a criança gosta de arroz ou pão sírio se não lhe der a chance de experimentar. Não confunda o que você não gosta com o que seu filho não gosta. Você pode não gostar de cozinhar ou de comer determinada comida, mas não há razão para não oferecê-la à criança.

- Proteína e carboidratos complexos, como o macarrão, pão e batatas, são alimentos bons para crianças pequenas (e adultos também!) porque liberam energia gradualmente durante um longo período e não causam os picos instantâneos e as depressões repentinas comuns após a ingestão de alimentos com alto teor de açúcar.

- Não sirva as refeições sem aviso prévio. Lembre-se de que uma criança pequena não tem noção de tempo. Avise quando está chegando a hora do almoço ou do jantar para que ela possa se preparar para as mudanças de atividade.

- Se a esta altura a criança ainda ingere muito leite, isso pode afetar seu apetite por comida sólida. Ofereça todo o tempo água ou suco em vez de leite. Tenha certeza de que o suco está bem diluído para não deixá-la se sentir estufada.

- Muitos pais elogiam as crianças se elas comem a segunda porção de comida. Não faça isso. Comer uma segunda porção não deve estar associado na mente das crianças a um bom comportamento.

ADMINISTRANDO O HORÁRIO DAS REFEIÇÕES

Nos primeiros dias, os pequenos precisam de muita ajuda, incentivo e supervisão durante a hora das refeições. Mas eles também se divertem com o lado social das coisas. Tão logo a criança atinja idade suficiente para acomodar-se no cadeirão sem ser ajudada, deixe-a sentar-se à mesa para as refeições. Assim que estiver grande o suficiente para sentar-se à mesa em uma cadeira normal, deixe que o faça. Você também pode usar um banquinho de altura regulável para acomodar seu filho na altura certa da mesa.

Em um episódio da série americana *Supernanny*, visitei uma família chamada Balleys, na qual as refeições eram verdadeiros campos de batalha. Jadyn, de seis anos de idade, tinha formigas nas calças e não parava quieta. Billy, seu irmão de dois anos de idade, ainda usava o cadeirão, colocado em um canto da mesa. Como não recebia muita atenção, ele aprontava todas. Uma das primeiras coisas que fizemos foi colocar o Billy numa cadeira de altura regulável para que ele se sentasse à mesa com o resto da família. Isso fez uma grande diferença logo de cara. Em sua cadeira de "mocinho", Billy achou legal se comportar como um na hora da refeição e melhorou muito para comer.

Todos juntos

Na medida do possível, as famílias deveriam tentar fazer as refeições juntas, ao menos uma vez por semana. Quando isso é inviável – em famílias muito ocupadas, ter todos os integrantes à mesa nem sempre é possível – devem arranjar tempo nos fins de semana para partilhar uma ou duas refeições. Durante a semana, se precisar alimentar os filhos pequenos antes de comer com seu parceiro, sente com eles e coma alguma coisa, uma fruta, por exemplo. É uma ocasião social e a hora ideal de começar a ensinar boas maneiras às crianças.

Mantenha a rotina. Ter horário determinado para as refeições é muito importante. Se você adiantar o horário da refeição um dia e atrasar no próximo, é certo que haverá variações no humor e comportamento da criança, provocadas por mudanças abruptas no nível de açúcar. Quando a criança for mais velha, você poderá ser mais flexível. Nesse estágio, meia hora de diferença não vai machucar.

Deixe bem claro quais são as regras. As crianças devem sentar-se à mesa e não pegar a comida e comer em qualquer lugar – certamente nunca em frente à TV. Devem ficar à mesa até que você lhes diga que podem sair. O único motivo pelo qual têm permissão de descer da mesa antes de terem acabado de comer ou antes de você dizer que acabou é quando precisam ir ao banheiro. Também devem lavar as mãos antes de comer e dizer "Por favor" e "Obrigado".

Seja realista. As crianças mais velhas geralmente terminam a refeição antes das menores. Não se deve esperar que elas passem horas sentadas enquanto os pequenos ainda não terminaram o jantar. Nem devemos esperar que elas permaneçam à mesa enquanto os adultos batem um longo papo.

Antes dos dois ou dois anos e meio, é possível administrar a maioria das dificuldades e evitar problemas. Em primeiro lugar, não permita que o momento da refeição se torne um campo de batalha nem tenha expectativas inviáveis quanto ao tipo e à quantidade de comida que a criança vai comer. Crianças maiores, no entanto, podem começar a testar os limites. A essa altura, você deve deixar as regras mais do que claras e colocá-las de volta no lugar com um controle firme e justo.

É possível tornar a hora da refeição menos irritante e transmitir a idéia de que se trata de uma ocasião social quando você envolve a criança pequena em algum dos preparativos. Isso também pode ajudar a impedir reclamações ou explosões nos momentos-chave: entre o anúncio de que o jantar está pronto e a chegada da criança à mesa.

Peça para seu filho ajudá-lo a pôr a mesa. "Você pode pegar três colheres, por favor"? Assim surgirá também uma oportunidade de elogiá-lo. "Agora pegue três garfos, por favor". Ou à mesa, peça para ele passar coisas simples, como um guardanapo. Diga "Por favor" e "Obrigado" a cada oportunidade para dar o exemplo.

Problema

A CRIANÇA "CHATA PARA COMER"

É natural que as crianças – e isso inclui os pequenos com menos de três anos – expressem aquilo que gostam e o que não gostam quando se trata de comer. A comida não precisa ser muito diferente para provocar uma recusa categórica. Algumas crianças odeiam tomate, outras detestam ervilhas. Outras ainda têm nojo de cogumelos. Seja honesto: há alguns alimentos que você mesmo não gosta, certo?

Forçar a criança, seja de que forma for, a comer uma comida que ela não gosta é contraproducente. Seu filho não vai, de repente, passar a gostar de tomate só porque você conseguiu que ele comesse metade de um. Ele pode passar a detestar ainda mais. A criança que tem aversão a um determinado alimento não pode ser considerada "chata para comer". Mas uma criança que não quer comer tomate, ervilhas, queijo, macarrão, cogumelos, ovos, carne – ou seja, quase tudo, pode ser considerada "chata para comer".

Crianças pequenas passam por períodos em que não têm muito apetite ou em que querem comer sempre a mesma coisa repetidas vezes. Se você não fizer uma tempestade em copo d'água, descobrirá que, quando o apetite voltar, ficarão felizes em comer um alimento que haviam recusado antes ou diversificarão o paladar quando estiverem prontas para isso. Mas a criança "chata para comer" é diferente. A lista de alimentos que ela rejeita ficará mais longa a cada dia, até o momento em que ela aceitará apenas pão com requeijão ou macarrão puro. E você, provavelmente, descobrirá que esse tipo de comportamento irá se repetir em outras áreas.

Uma criança assim na família já é suficiente. Mas a exigência no comer pode virar mania. Logo você estará preparando três refeições separadas para três pequenos *gourmets*. E o mais provável é que o enjoamento não pare por aí. A criança pode chegar ao ponto de criar caso no modo como o alimento é colocado no prato e em qual prato é servido. Isso já é ruim em casa, mas torna quase impossível comer fora ou na casa de amigos.

A criança "chata para comer" usa a comida para fazer os pais se desdobrarem. Quando as coisas chegam a esse extremo, quase sempre se trata de um problema de autoridade.

Solução

PREVENIR É MELHOR DO QUE REMEDIAR

🔴 Depois que seu filho passar anos sendo um "chato para comer", será muito difícil mudar as coisas. Na escola, consegue-se identificar quem são os mais exigentes. São aqueles com lanches embrulhados de maneira diferente ou cheios de guloseimas. É melhor ficar atento aos sinais de que a comida está começando a ser uma questão de controle, e cortar o mal pela raiz enquanto pode.

🔴 Se seu filho de repente deixar de gostar de uma determinada comida, não exagere na reação. Deixe-o comer apenas a quantidade que quiser e retire o prato quando ele terminar, sem reclamar que ele não comeu isso ou aquilo. Ele pode dizer: "detesto ervilhas!" Não dê muita atenção. Depois de alguns dias, ofereça o alimento recusado e poderá descobrir que ele mudou de idéia ao perceber que a recusa da primeira vez não surtiu efeito. Crianças pequenas não têm lógica nem constância no que gostam ou deixam de gostar.

- Permita que seu filho tenha algum espaço de manobra. Se ele desprezar firmemente um determinado alimento, é provável que você tenha de cozinhar algo diferente para ele enquanto o alimento é servido para o restante da família. A expressão facial pode revelar muito. O desagrado fica registrado espontaneamente.

- Elogie e estimule seu filho quando ele comer bem. Se você insistir para que ele coma "mais três colheradas", vá em frente. Três colheradas mais são três, não duas nem uma.

- Às vezes, o que desagrada não é o gosto de um determinado alimento, mas sim a textura. Tente oferecer o mesmo alimento em forma diferente para ver se isso muda alguma coisa. Algumas crianças adoram cenoura, mas não cozidas; outras detestam batata assada mas gostam de purê. Não importa, pois eles estão comendo cenoura e batata da mesma forma.

- Não ofereça opções de comida aos pequenos. Isso é procurar problema. Na medida do possível, todos na família devem comer a mesma comida, sem a opção de escolher o cardápio. Crianças de cinco anos, que geralmente comem bem, podem ter algumas opções de escolha.

- Se a criança não quiser comer o que lhe é oferecido, não a faça ficar sentada à mesa a tarde inteira até que "termine de comer". Nessa fase, os pequenos têm mestrado em teimosia. Chegue a um acordo. Faça-o comer "mais três colheradas" até o fim. Depois permita que ele saia da mesa. Seja qual for a sua atitude, não retire o prato de seu filho da mesa nem ofereça uma guloseima ou petisco. Ele tem de aprender que se não comeu o que lhe foi oferecido não há mais nada para comer. Pode acreditar que ele não vai morrer de fome.

Problema

A CRIANÇA NÃO PÁRA À MESA

Esse é um problema que aparece em crianças perto dos três anos e que pode rapidamente transformar os horários de refeições em um caos. A criança que senta e levanta da mesa o tempo todo, sai correndo com a comida para comer em outro lugar, no meio da refeição desaparece debaixo da mesa com a boca cheia, está testando todos os limites dos pais, da mesma forma como faz a criança "chata para comer". Para que os horários das refeições sejam reuniões familiares prazerosas, certas regras precisam ser combinadas. E essas regras, se necessário, têm de ser respaldadas por autoridade inabalável. Há boas razões para que a criança coma à mesa. Em primeiro lugar, incentiva boa postura e boas maneiras – nenhuma criança consegue aprender boas maneiras se não se sentar à mesa. Em segundo, é muito mais fácil limpar purê derramado em cima da mesa do que atrás do sofá. Terceiro, a criança que come andando de um lado para o outro não está ajudando seu sistema digestivo e até corre o risco de engasgar se começar a correr com a comida na boca. Por último, mesmo antes dos três anos, criança não é tão pequena assim que não possa seguir as regras que você estabeleceu e compreender que ela é parte da família e não pode fazer tudo o que quer. Ela não vai necessariamente entender suas explicações, mas ficará muito mais tranqüila em saber que existem regras, bem como horários para as refeições.

> Solução

TÉCNICA DO DEGRAU DO MALCRIADO

Muitos pais não utilizam qualquer forma de disciplina nos horários de refeição porque ficam tão preocupados em fazer a criança comer que preferem fazer vista grossa para um comportamento inaceitável. Insistir para que as regras básicas sejam seguidas pode muito bem levar a uma fase em que esses horários piorem em vez de melhorar. Mas é muito melhor agüentar essa fase curta do que abandonar todas as esperanças de reuniões pacíficas em família no futuro. Simplesmente dizer à criança que ela deve se sentar à mesa e comer sua comida pode ser suficiente para que ela entenda. Para comportamento agressivo ou desafiador, siga a *Técnica do Degrau do Malcriado* descrita na página 92 e você começará a perceber a melhora rapidamente. Seja realista em relação a quanto tempo você espera que seu filho permaneça sentado à mesa. Quinze minutos é provavelmente o tempo máximo de permanência para crianças menores de cinco anos. Se ele terminou de comer e pede para descer, permita. Ao mesmo tempo, não o apresse ou se impaciente com ele. Não pressione seu filho ou transformará o ato de comer em uma fonte de ansiedade.

> Problema

COMER GULOSEIMAS DEMAIS

Esse é realmente um caso em que o problema é inteiramente culpa dos pais. Se o seu filho tiver à mão biscoitos, doces, bolos, chocolate e salgadinhos, quem pode culpá-lo se ele comer? Se você ceder toda vez que ele pedir uma guloseima, não é culpa dele se não tiver apetite para o jantar. Crianças que têm permissão para beliscar o dia todo alimentos de baixo valor nutricional terão problemas na hora da refeição. Estarão sem fome e decididos a conseguir outro petisco assim que puderem. Refrigerantes, biscoitos e doces alteram os níveis de açúcar no sangue da criança. Logo após comer ou beber algo muito doce, o nível de açúcar dispara e o aumento súbito de energia vai ser percebido imediatamente nos gritos e na correria. Logo depois, o nível de açúcar desce bastante – abaixo do que estava antes da guloseima – e você pode se aprontar para as lamúrias, mau comportamento ou até um acesso de raiva. Petiscos muito salgados e com muita gordura saturada, como os salgadinhos, podem não provocar esses altos e baixos, mas não são bons para crianças nem para adultos.

Solução

RESTRINJA O ACESSO A GULOSEIMAS

- Se seu filho tem o sério problema de viver beliscando, não compre guloseimas. Deixe-as no supermercado. Dessa maneira não haverá discussão.

- Não deixe esse tipo de alimento onde as crianças possam pegar. Coloque-os na "lata de guloseimas" e guarde fora do alcance delas.

- Se seu filho tiver fome entre as refeições ou depois de brincar muito, ofereça lanches saudáveis e não guloseimas doces.

- Não use petiscos para negociar com as crianças. Fazer uma surpresa ocasional com um doce ou salgadinho não tem problema, porque está sendo oferecido de acordo com as suas condições. Mas não comece a usar petiscos como forma de persuadir seu filho a comer ou como prêmio por bom comportamento.

- Não permita guloseimas perto do horário das refeições. Alerte seu filho várias vezes de que a comida está quase pronta.

Problema

MAUS MODOS

Até seu filho chegar pelo menos aos quatro anos, ele não conseguirá manejar garfo e faca com grande habilidade. Se ele comer um pouco com as mãos e um pouco com o garfo, tudo bem. Entretanto, você pode estabelecer um nível mínimo de boas maneiras à mesa – por exemplo, pode ensiná-lo a não deixar a mesa com a boca cheia. Depois que a criança já passou dos cinco anos, você pode começar a refinar suas boas maneiras. As crianças também devem dizer "por favor" e "obrigado". É o mínimo que se espera de alguém bem-educado. Devem ser advertidas com firmeza que comportamento como atirar comida para fora do prato não é admissível. A primeira vez que o pequeno atirar uma salsicha na irmã, alguém achará engraçado, mas resista e não ria. Quando o adulto ri, ele confirma para a criança que seu comportamento é adequado. Isso servirá apenas para encorajar a repetição do ato.

Solução

INSISTA NAS REGRAS

❊ Deixe claro como você espera que seus filhos se comportem à mesa. Atirar comida, brigar, gritar, berrar, chutar e outras formas de mau comportamento são inaceitáveis em qualquer grupo de idade. Se a falta for grave, agressiva e se repetir sempre, use a *Técnica do Degrau do Malcriado* (consulte a página 92).

❊ Ensine seu filho a dizer "por favor" e "obrigado". Se essas palavras não fizerem parte do seu vocabulário, como ele poderá aprender?

❊ Não conte com modos sofisticados à mesa antes que seu filho consiga manusear garfo e faca corretamente.

MINHAS *10* REGRAS DE OURO

Em resumo, seguem minhas dez regras de ouro para os problemas de alimentação:

1. ELOGIOS E PRÊMIOS
Elogio e incentivo são as melhores recompensas. Não espere um comportamento excepcional – elogie os bons momentos na hora em que acontecerem. Não use guloseimas como suborno. Não elogie a criança por repetir o prato.

2. CONSISTÊNCIA
Siga as mesmas regras até o fim sem fraquejar. Você e seu cônjuge devem ser coerentes. Se você exigir que sejam "mais três colheradas", não mude de idéia sob pressão nem reduza para duas ou uma. Não dê guloseimas para a criança se ela não comer a comida – essa é uma mensagem dúbia por excelência.

3. ROTINA
Não mude o horário das refeições drasticamente. As refeições são a base de sua rotina. Quando a criança tiver mais idade, você poderá ser um pouco mais flexível. Meia hora mais cedo ou mais tarde não fará mal.

4. LIMITES
Um horário fixo de refeição é um limite importante, bem como as regras combinadas em relação a fazer as refeições à mesa e ao comportamento mínimo. Limites ajudam a ter refeições mais tranqüilas.

5. DISCIPLINA
Não discipline a criança por não comer. Repreenda-a por comportamento inaceitável no horário das refeições, como chutar, atirar comida ou se recusar a sentar à mesa. Use a Técnica do Degrau do Malcriado.

6. AVISOS
Avise várias vezes que a comida já vai ficar pronta para que seu filho possa se preparar para a troca de atividade. Não espere que ele se acomode à mesa imediatamente após um tempo correndo no jardim. Primeiro deixe que ele descanse. Chame a atenção se ele se comportar mal para que tenha a oportunidade de corrigir o comportamento.

7. EXPLICAÇÕES
Quando seu filho se comportar mal à mesa, explique que o comportamento é inaceitável e porquê. Mas não dê explicações complexas para os pequeninos. A argumentação estará além de sua compreensão.

8. AUTOCONTROLE
Ignore modismos alimentícios. A criança "chata para comer" está procurando atenção. Ignore-a. Continue oferecendo variedade e não deixe que seus filhos façam o próprio cardápio. Ao mesmo tempo, não exija que eles não gostem do que você também não gosta.

9. RESPONSABILIDADE
Incentive seu filho pequeno a comer sozinho, mesmo se demorar mais e ficar tudo uma bagunça. Ensine-o a dizer "por favor" e "obrigado". Convide os mais velhos para ajudar a arrumar a mesa e em outras tarefas simples.

10. RELAXAMENTO
O horário das refeições deve ser uma ocasião divertida e agradável. Tentem comer em família tanto quanto possível.

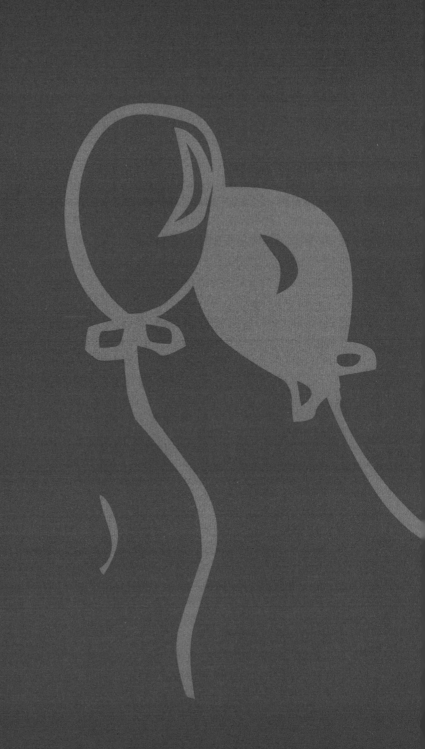

Habilidades sociais

Uma das coisas mais importantes que uma criança precisa aprender é como conviver com as pessoas. Tão logo começa a andar, a criança tende a considerar os outros como obstáculos irritantes que se intrometem no que ela quer fazer. Leva algum tempo antes que ela consiga entender que os outros também têm sentimentos, e que compartilhar, dividir e ser agradável são bons hábitos a serem cultivados. Em alguns aspectos, não se pode precipitar as coisas. Mas você pode deixar claro quais são os limites e conduzir seu filho na direção certa.

O que você pode fazer, em todas as faixas de idade, é participar e se divertir com seu filho. Dedique tempo para isso – não se preocupe em ter uma casa perfeita. Curta seu filho. Muitos pais não brincam com seus filhos o suficiente, muito embora seja brincando que as crianças aprendem todo tipo de coisa, inclusive como se relacionar bem com as pessoas. Eu gostaria muito de incentivar os pais a não se acanharem, a ficarem à vontade e fazerem coisas bobas junto com seus filhos. Entrem no mundo deles e deixem que eles comandem a brincadeira.

BRINCADEIRAS

As crianças não apenas se divertem, como também aprendem brincando. Desde o bebê de seis meses que explora um chocalho colocando-o na boca até o pequeno de dois anos que tenta encaixar a peça redonda no encaixe quadrado do jogo de formas ou o maiorzinho, de quatro anos, perdido em um mundo do faz-de-conta, brincar está tão intimamente relacionado a explorar o mundo e aprender a se relacionar com as pessoas quanto à diversão.

Uma criança que não têm oportunidades suficientes de brincar ficará entediada. E o tédio fará com que se sinta cerceada o que, por conseguinte, acabará causando problemas. Ao mesmo tempo, ela não aprenderá coisas que poderia descobrir brincando – e não estou falando apenas do tipo das habilidades mentais que os brinquedos "educativos" pretendem desenvolver. Jogar bola no jardim não é apenas uma desculpa para espairecer. Esse é um dos meios nos quais seu pequeno Beckham desenvolve a coordenação física e outras habilidades motoras. Quebra-cabeças e jogos que obrigam a criança a sentar-se e concentrar-se ajudam a aumentar o intervalo em que conseguem manter a concentração. Assim, quando chegar ao berçário ou à pré-escola, seu filho não será uma daquelas crianças que não conseguem ficar quietas e escutar. Teatrinho, brincadeiras de faz-de-conta e vestir fantasias estimulam a imaginação. Desenhar e pintar dão vazão à criatividade e ajudam a criança a aprimorar a coordenação motora fina.

Bebês

Os bebês precisam de estímulos assim que chegam ao mundo. Atender a essa necessidade é tão importante quando alimentar e cuidar da higiene do bebê. Faltam coordenação e mobilidade para o bebê explorar o mundo sem a sua ajuda.

Por exemplo, se você segurar um brinquedo em seu campo de visão, ele terá um estímulo básico para cores e formas. Mas se o deixar ao alcance do bebê, ele acabará batendo no brinquedo e movimentando o objeto. Na primeira vez, fará isso por acaso. Mas o acidente logo será repetido e passará a ser uma brincadeira que o ensinou a fazer algo se mover com a mão. Esse é o princípio da coordenação.

Assim que a criança aprende a andar, a brincadeira se transforma num fascinante jogo de exploração. Tudo está ao alcance de suas mãos. Proporcionar a seu filho maneiras seguras de experimentar o mundo ao seu redor alimenta o desejo de aprender. Esta é uma fase formidável para improvisação: colheres de madeira, panelas e copos plásticos – enfim, qualquer utensílio de cozinha que não machuque – deixam o pequeno tão feliz quanto uma montanha de brinquedos caros.

Crianças pequenas

Quando seu filho começar a andar, brincar será tanto uma oportunidade de alegria e descoberta quanto uma fonte de frustrações. Ele quer encaixar algo numa caixa – afinal, já viu você e os irmãos fazerem isso –, mas por que não consegue fazer sozinho? A saída não é tirar do lugar todas as coisas que possam causar decepções. Assim o pequeno não conseguirá aprender o que precisa. Entretanto, você pode desviar a atenção para outro brinquedo que ele consiga manusear melhor. Ou, como gosto de fazer, você pode colocar suas mãos sobre as dele e ajudá-lo a encaixar o objeto na caixa. Desse modo, ele aprende e ainda sente que está fazendo algo por conta própria.

Não espere que seu filho pequeno se concentre em uma coisa por muito tempo nem que ele brinque com outra criança. Ele pode brincar ao lado de outro garoto, mas quase nem perceberá a presença dele. E se perceber, será para expressar que está com um brinquedo tão interessante, que não se importa de brincar sozinho. No minuto seguinte, ele tira o brinquedo do alcance do outro.

Brincando junto

Antes de chegarem ao estágio em que conseguem brincar com outras crianças, compartilhando e cooperando, os pequenos precisam da ajuda dos adultos e é aí que podem surgir problemas. Você tem várias coisas a fazer e seu filho não quer parar de brincar. Ele está feliz da vida enquanto as tarefas estão ali à sua espera. Para você, chegou a hora de trabalhar, mas seu filho, por sua vez, sentirá que esta é a hora ideal para brincar e se divertir com você. Tão logo você entra na lida, ele deixa bem claro que gostaria da sua atenção – aprontando alguma travessura, se necessário. É imprescindível reservar horários separados para o trabalho doméstico e as brincadeiras.

Diferentemente dos pais, as crianças pequenas não vêem a diferença entre "brincar" e "trabalhar". Tudo pode ser engraçado, inclusive ajudar na lavagem do carro. Então uma solução ideal para essa etapa intermediária é deixá-los participar do que você está fazendo. Eu expliquei a Técnica do Envolvimento no capítulo *Definindo limites* (página 69), que é muito útil para dar atenção ao seu filho quando você precisa se ocupar com outra coisa. Enquanto a criança está de pé em uma cadeira ao seu lado, "ajudando" a lavar cenouras, você não está sendo um explorador nem a forçando a fazer alguma coisa que ela encare como trabalho doméstico. O pequeno vai se divertir muito.

As crianças precisam de ensinamentos claros sobre compartilhar e dividir. Jogos simples com duas ou mais pessoas ajudam a ensiná-las a dar e receber. Mas depois não os deixe sozinhos.

Sente com eles. Mostre-lhes como o jogo funciona e quais são as regras. Eles não conseguirão jogar juntos corretamente se você não lhes ensinar como. "Agora é a vez do Arthur".

Quando eles já estiverem jogando bem, deixe-os sozinhos. Não fique em cima. Eles construirão seu próprio relacionamento e resolverão suas disputas se você não ficar o tempo todo agindo como juiz.

BRINQUEDOS

Os brinquedos se multiplicam – e rápido. Parece que foi ontem que você podia guardar todos os brinquedos do seu bebê numa caixa. Agora, depois de alguns aniversários e Natais, você sabe que tem uma casa em algum lugar se pelo menos pudesse achá-la debaixo de todas aquelas pecinhas de Lego.

As crianças adoram brinquedos e os pais adoram dá-los para os filhos. Mas como quase tudo, brinquedos acabam se tornando coisas pelas quais as crianças aprendem a negociar, lutar, implorar e se recusar a arrumar. Brinquedos podem se tornar um problema.

Muitos pais, em uma fase ou outra, dão presentes aos filhos porque se sentem culpados por não passar mais tempo com eles. Outros sempre os distribuem como suborno ou recompensa por um comportamento medianamente decente. Nada disso tem muito a ver com brincar ou aprender brincando. Tem muito a ver com as suas emoções. Se você usar os brinquedos dessa maneira, criará uma situação em que seu filho saberá que pode manipular você.

Rodízio de brinquedos

Crianças pequenas precisam de brinquedos para brincar, mas não precisam de itens caros ou de todos os brinquedos da loja. Não é apenas uma questão de "aprender a ser feliz com o que têm". Crianças mais velhas precisam ser ensinadas a ter apreço pelo que lhe pertence, mas essa é uma noção muito adulta para uma criança de dois anos. Quando os pequenos encontram-se rodeados de centenas de brinquedos, todos ao alcance da mão, eles literalmente vêem centenas de escolhas em forma sólida. Seu filho pode até ter um monte de brinquedos, mas eles não precisam estar todos fora do armário ao mesmo tempo. O rodízio dos brinquedos oferece às criancinhas, que não podem escolher entre inúmeras opções, a chance de se focar um pouco melhor na brincadeira e desenvolver habilidades de concentração. Elas não se sentirão tão atordoadas pela grande oferta de opções. Em um outro dia, você poderá tirar os brinquedos que guardou e eles os receberão com tanto entusiasmo como se fossem novos. Uma vantagem adicional dessa estratégia é que guardá-los será muito mais fácil.

ARRUMAÇÃO

Quando sua casa parece um campo de guerra dois minutos depois que você limpou tudo, a vontade é deixar como está. Muitos pais que travam a luta inglória de guardar brinquedos ou fazer as crianças guardá-los depois de brincar, decidem que é mais fácil viver no caos por um tempo. O problema é que o caos algumas vezes dura anos. As coisas não precisam – nem devem – ser dessa maneira.

Alguns pais deixam a bagunça como está porque não querem perder tempo arrumando. O que eles esquecem é que a bagunça toma muito tempo e pode até sair caro, se você for passar horas procurando peças perdidas de quebra-cabeças ou gastar mais dinheiro na compra de novos. Um ambiente desarrumado e caótico mostra à criança que ela não tem de respeitar os pertences dela e nem os seus.

Quando há brinquedos espalhados por todos os lugares, a criança achará difícil aceitar que há qualquer lugar ou qualquer coisa na casa que você possa chamar de seu. Também já percebi que a bagunça torna quase inviável a imposição da disciplina. Não estou dizendo que você deve manter tudo impecável e viver correndo de um lado para o outro afofando as almofadas. Mas uma ordem básica é essencial – as crianças não conseguem aprender nada quando estão rodeadas pelo caos.

Não espere que uma criança pequena, que mal aprendeu a andar, seja organizada e guarde seus brinquedos. Mas você pode conseguir que ela participe quando você os guarda – outro bom uso da Técnica do Envolvimento. A fartura de elogios faz maravilhas. Os brinquedos não precisam ser guardados na caixa certa, e nem todos têm de ser apanhados. O simples fato de tornar isso divertido e fazê-los participar constrói uma boa base para o futuro. Separe tipos diferentes de brinquedos e objetos em caixas de cores diferentes – a criança achará mais fácil ajudar dessa maneira. Faça disso um jogo: "Quem consegue guardar mais rápido?". Crianças mais velhas precisam saber que existem regras sobre bagunça e que há lugares na casa onde você não quer ficar pisando em brinquedos o tempo todo.

Eis como lidar com a situação sem problemas:

- Transforme a arrumação em jogo. Faça seu filho participar e elogie quando ele ajudar.

- Não estabeleça padrões inalcançáveis.

- Evite trabalho extra não permitindo que todos os brinquedos fiquem expostos ao mesmo tempo. Faça o rodízio de brinquedos.

- Mantenha bem longe do alcance da criança materiais de arte, canetas, marcadores e tintas. Supervisione brincadeiras criativas ou bagunçadas em áreas de fácil limpeza.

- Explique as regras sobre arrumação, mas não conte com perfeição.

- Você pode deixar que os brinquedos fiquem espalhados no quarto de brinquedos, ou mesmo arrumar de vez em quando. O caos pode ficar escondido atrás da porta. Mas não deixe a bagunça perdurar por vários meses.

POR QUANTO TEMPO AS CRIANÇAS PODEM ASSISTIR TV?

Tempo demais é a resposta em muitos casos. Em algumas casas, a TV fica ligada o dia inteiro, manhã, tarde e noite. Crianças que assistem TV dia e noite não estão fazendo exercícios saudáveis, usando a imaginação e interagindo com os outros. O que recebem são estímulos precários que as deixará tensas, encurtarão os intervalos de concentração e lhes darão todo o tipo de idéia que você prefere que elas não tenham. Eu não me refiro apenas à violência ou linguagem obscena. Estou falando dos anúncios que estimularão o apetite por alimentos que você não quer que comam ou por brinquedos que você não pode comprar.

A TV ligada o tempo todo é nociva mesmo quando ninguém está assistindo. Só contribui para aumentar o nível de barulho e a confusão generalizada.

Eis como administrar o que as crianças assistem:

🐼 Você precisa comandar o controle remoto. Decida por quanto tempo seus filhos podem ver TV e quais programas são adequados. No caso de crianças mais velhas, elas podem participar da escolha.

🐼 Não use a TV como babá. Essa não é a saída para cuidar de crianças ou administrar o tempo. Mas se você instalar seus filhos na frente da TV para assistir a Branca de Neve e ficar na cama mais meia hora no sábado de manhã, não se recrimine por causa disso. Você não é a única. E é perfeitamente normal seu filho assistir TV enquanto você se acomoda no sofá e amamenta o bebê. É só saber usar a TV com sensatez.

🐼 Não deixe a criança assistir desenhos barulhentos ou jogar jogos no computador antes de dormir, pois isso a deixa superagitada.

🐼 Não permita que seu filho assista programas que causem medo. Mesmo filmes e desenhos infantis podem assustar algumas crianças. Observe o que estão assistindo e como reagem.

DICAS PARA BRINCAR COM ALEGRIA

A variedade é o tempero da vida. Com atividades variadas você terá mais chance de manter seus filhos felizes. A brincadeira não se traduz apenas em brinquedos – implica piqueniques e idas ao parque, passear no jardim, "ajudar" mamãe e papai em um trabalho, brincadeiras criativas com tintas e massinha, jogos de "faz-de-conta". Os jogos não têm de ser barulhentos e tumultuados. Períodos de silêncio também podem ser divertidos.

- Deixe seu filho escolher a brincadeira.

- Incentive a criança a resolver as coisas sozinho. Mostre-lhe como e deixe-o fazer. É assim que ele aprende.

- Relaxe e brinque com alegria. Não tenha medo de bancar o ridículo, participe e divirta-se. Deixe seu filho comandar a brincadeira.

- Quando a chuva não permite brincar ao ar livre e você e seus filhos se sentem enclausurados, improvise. Faça uma "toca" ou uma "tenda" com lençóis e cobertores velhos jogados por cima da mesa ou do sofá.

- Deixe a imaginação de seu filho voar. Vestir roupas de festa é ótimo para brincar de teatrinho. Empreste suas roupas antigas para ele se divertir.

- Não force a criança a brincar com um brinquedo que não é adequado para a idade dela. Isso não vai acelerar o seu desenvolvimento e só provocará frustração. Brinquedos e jogos vêm com recomendação de idade não apenas por razões de segurança.

- Não compre brinquedos caros e frágeis para crianças pequenas demais para cuidar deles. Você só está arrumando mais uma preocupação e um incômodo, e acabará culpando a criança quando o brinquedo quebrar, o que não é justo com ela.

🐻 O preço não significa nada para uma criança pequena e com certeza não quer dizer que o brinquedo seja melhor. Pense em toda a diversão que uma criança de dois anos pode ter com papel de presente e caixas vazias.

🐻 Saia com eles sempre que puder. Crianças precisam de espaço para respirar, correr e gastar o excesso de energia. Você também!

Problema

COMPORTAMENTO BRIGUENTO / AGRESSIVO

Brincar às vezes pode exteriorizar o que a criança tem de pior. Em um minuto ela está brincando numa boa, no outro a terceira guerra mundial acabou de eclodir na sala de estar. Hostilidades podem acontecer por vários motivos. Nos pequenos, é geralmente sem pensar. Nessa fase, as crianças agem por impulso, a menos que sejam impedidas ou tenham a atenção desviada do alvo. Elas não sabem que chutar alguém pode machucar. Para elas, o chute parecia uma boa idéia no milésimo de segundo que passou por sua cabeça. Crianças pequenas às vezes agridem alguém fisicamente porque não conseguem se expressar em palavras. Crianças de dois a três anos logo entendem que morder ou outro tipo de comportamento agressivo chama a atenção. É uma atenção negativa, mas é melhor do que nenhuma. O ciúme também pode ser a causa, bem como o parco entendimento do que é compartilhar e cooperar. Perder o jogo ou se recusar a entregar um brinquedo pode provocar uma explosão violenta de raiva. Não se esqueça de que há uma diferença entre conflito, discussão ou briga casual e luta para valer. Não intervenha ao primeiro sinal de discussão. Deixe-os ver se conseguem resolver a situação sozinhos. Briga e agressão são coisas diferentes. É importante entender o que está por trás da briga e da agressão, mas é igualmente importante deixar claro que você não vai tolerar esse comportamento. Qualquer criança que não é disciplinada por comportamento agressivo em casa entende que pode fazer o mesmo na casa de amiguinhos, no parque, na creche ou na escola.

Solução

A TÉCNICA DO DEGRAU DO MALCRIADO

Briga e agressão nas crianças que estão aprendendo a andar devem ser corrigidas desde cedo. Assim que seu filho demonstrar que já tem idade suficiente para entender o que faz, use a *Técnica do Degrau do Malcriado* (veja a página 92) para mostrar-lhe que esse tipo de comportamento simplesmente não é permitido. Não há alternativa. Para brigas, a tolerância é zero. Aliás, use a *Técnica da Tolerância Zero* (página 96) no caso de uma criança mais velha que já sabe o que não deve fazer. Quando as brigas acontecem o tempo todo na hora de brincar, verifique se seu filho entende o que é brincadeira compartilhada. Depois de dar as devidas instruções, sente-se com seus filhos e mostre-lhes como brincar cada um na sua vez.

Problema

COMPORTAMENTO DESTRUTIVO

Se você der um livro para um bebê, da próxima vez que olhar para ele pode ser que algumas páginas estejam mastigadas, amassadas, rasgadas, chupadas ou exploradas pelo bebê de alguma outra maneira. Isso não é comportamento destrutivo. Se seu filhinho bateu numa mesa e derrubou um enfeite, isso também não é comportamento destrutivo. É um acidente (e um descuido de sua parte). Se seu filho de quatro anos está rasgando o papel de parede do quarto e rabiscando as portas com pincel atômico; se ele quebrar um brinquedo novinho – isso é comportamento destrutivo.

Solução

ENSINAR RESPEITO

Certifique-se de que seu filho entendeu as regras. Explique que escrever nas paredes, rasgar papel de parede e quebrar brinquedos simplesmente não é permitido. Use a *Técnica do Degrau do Malcriado* (veja a página 92) para reforçar suas regras. Em casos extremos, você deve usar a *Técnica do Confisco de Brinquedos* (veja a página 98) e limitar os brinquedos da criança a dez até que ela aprenda a brincar corretamente e cuidar deles.

Ao mesmo tempo, faça uma inspeção rigorosa em casa. Se vocês morarem em um caos total, seu filho não entenderá que é importante respeitar seu ambiente e suas coisas. Para impor disciplina nessa questão, e em muitas outras também, sua casa não precisa ser um *showroom*, mas sim ter um certo nível de organização.

OUTROS PROBLEMAS COMPORTAMENTAIS

O relacionamento com os pais produz muitas áreas cinzentas. Quando seu filho cospe ou atira comida ou quando machuca outra criança não está trazendo à tona nenhuma área cinzenta. Mas e quanto a choradeiras e queixumes? E quanto à timidez?

Crianças são pequenas imitadoras e pegam as coisas com rapidez. Antes delas colocarem os pés em um playground de escola pela primeira vez, os pais não podem culpar as outras crianças pelos palavrões que os filhos disserem. É bem possível que eles tenham ouvido de você os xingamentos – e o pior é que a primeira vez que eles falarem vai ser bem na frente de quem você menos gostaria que ouvisse. Seus pais, por exemplo.

Primeiro, examine o seu próprio comportamento. Você não pode estabelecer padrões para as crianças só na teoria e nem pode dizer uma coisa e fazer outra e esperar que eles façam o que você diz. Reforço positivo na forma de elogios por bom comportamento pode ser de grande ajuda para corrigir esse tipo de "área cinzenta".

Problema
CHORADEIRA

Crianças captam tudo. Se você se queixa o tempo todo, na certa seu filho copiará o jeito como você reclama e começará a usá-lo com você. A repetição contínua tem intenção de vencer sua resistência até você ceder e dar o que ele quer.

Solução
NÃO CEDA

Não ceda à choradeira. Ceder ensina a criança que choramingar é o tipo de comportamento e tom de voz que dará resultado. Se seu filho está choramingando por algo que você não quer lhe dar, explique que: a) você não vai lhe dar bolacha porque está quase na hora do almoço; e b) não precisa choramingar para pedir as coisas. Se ele estiver choroso por algo que pode ter, explique que ele receberá assim que pedir direito. Mostre como você quer que ele se comporte. "Não peça suco choramingando". Imite sua cara e tom de voz. Sempre que faço isso com as crianças, eles têm um ataque de riso. Isso as faz compreender. Depois lhe diga como pedir direito. "Você pode beber suco quando pedir com educação. Diga 'Por favor, posso tomar um suco?' Vamos lá, como é que se pede?"

Problema

TIMIDEZ

Bebês e crianças pequenas normalmente têm vergonha das pessoas que não conhecem. Isso é natural e característico da fase em que a criança é muito ligada à mãe, ou à principal pessoa que cuida dela, e fica apreensiva com qualquer forma de separação. Não é exatamente timidez. Não preste muita atenção ao fato e resista à tentação de rotular seu filho de "tímido" ou, pior ainda, pensar que o comportamento dele é "meigo". Não tem problema se seu filho for um pouco tímido. Não há nada de errado nisso. Algumas crianças são naturalmente mais sociáveis do que outras. Porém, timidez extrema em crianças mais velhas pode causar problemas quando você visita os amigos ou os recebe em casa. Se você não começar a lidar com a introversão exagerada, poderá acabar com problemas quando seu filho tiver de se adaptar na escola.Algumas crianças valem-se do comportamento tímido para chamar atenção ou escapar de algo que não querem fazer, como grudar na saia da mãe quando ela tenta insistentemente que ele diga "Oi" para alguém que já conhece bem.

Solução

MOSTRE E DIGA

Não faça um estardalhaço por causa de timidez nem dê ao seu filho mais atenção do que o normal. Mostre-lhe como você gostaria que ele se comportasse com as pessoas. Consiga sua confiança de maneira descontraída. Desde cedo, exponha seu filho a situações em que ele fique cercado por outras pessoas, especialmente outras crianças. Ensine-lhe que é gentil e educado dizer "Olá" para as pessoas. Prepare a criança para as novas situações antes que elas a peguem de surpresa, deixando-a retraída. Deixe seu filho perceber que você circula confiante entre outras pessoas – no parque, na casa de amigos, no playground – e não permita que ele a arraste para seu cantinho de timidez.

Problema

MEDOS

Crianças pequenas têm medo de uma porção de coisas: pesadelos, barulhos estridentes, água, cachorro, bruxas e outros produtos de sua movimentada imaginação. Sempre leve os medos de seu filho a sério. Eles são muito importantes para ele.

Há medos associados a certas idades. Muitas crianças de um a dois anos detestam o barulho do aspirador de pó e outros eletrodomésticos como o processador de alimentos. Quando a criança chega aos quatro anos, mais ou menos, quase sempre fica com medo de cachorro. O medo irracional é característica de uma fase em que não há uma linha clara entre a fantasia e a realidade, o que não significa que ele seja menos real.

A criança também pode ter um pesadelo se viu algo na TV que a assustou. Até desenhos animados e filmes da Disney podem assustar algumas crianças. Observe o que a criança está assistindo e como reage – e desligue a TV se ela estiver ficando perturbada.

Solução

EXPLICAR E TRANSMITIR SEGURANÇA

Quando seu filho está assustado, a primeira coisa que precisa é de sua segurança e carinho. As explicações são de grande ajuda. Medos como os de aspirador normalmente passam sozinhos. Mas até passarem, você pode adiantar as coisas acostumando-o gradualmente com o som do aspirador ou do liquidificador ou de qualquer outro eletrodoméstico que o assuste. Coloque-o na sala com você, mas mantenha-o a uma boa distância do aspirador. Ligue e desligue o aparelho rapidamente algumas vezes para que ele possa ouvir o barulho parar e começar. Em seguida, use o aspirador, mas mantenha distância da criança. O que a faz entrar em pânico é ficar perto do barulho.

Para enfrentar outros medos – como de água ou de cachorro – coloque a criança em contato, sutil e gradualmente, com o que a está assustando para que ela possa aprender a relaxar e superar o medo. Tente colocar-se na posição dela. Visto da altura de um adulto, um cachorro pode não ser tão assustador. Porém, uma criança de quatro anos está vendo uma figura muito maior do mesmo animal e bem de frente. Quando estiver relaxado, em vez de ficar no seu colo enfiando a carinha no seu pescoço, seu filho ficará no chão e se sentirá confiante o bastante para enfrentar a situação.

Nunca duvide da criança na primeira vez que ela o acordar contando que teve um pesadelo. Ela precisa sentir que pode conversar com você sobre o que a está assustando. Mantenha o canal de comunicação aberto e não ignore os medos de seu filho.

Quando seu filho tiver um pesadelo ou acordar de noite por ter imaginado algo assustador, leve-o de volta para a cama e dê-lhe carinho e segurança. Talvez ele tenha se assustado com a forma estranha de um brinquedo no escuro. Sente-se com ele, com a luz apagada, e deixe que ele veja que a silhueta é apenas o seu brinquedo favorito. Deixe a porta entreaberta e a luz do corredor acesa. Quando ele tiver se acalmado, diga-lhe onde você estará e o que estará fazendo: "estou lá embaixo se você precisar falar comigo. Vou jantar e depois assistir TV". Aconchegue-o sob as cobertas com seus bichinhos favoritos.

CORRENDO PARA LÁ E PARA CÁ

As crianças sabem mesmo escolher o momento. Reservam o pior comportamento para as situações em que sabem que você ficará mais envergonhada, ou seja, bem na frente de todo mundo. Isso é compreensível. Seu filho pode ler você como um livro e captará os sinais de que você está estressado, tenso ou ansioso antes mesmo de sair de casa. É possível que você tenha até facilitado as coisas para ele dizendo para não se comportar mal. "Vamos ao supermercado e desta vez quero que você se comporte. Está me ouvindo?"

Como se o fator vergonha não fosse suficiente, há o fator medo. Andar na rua ou de carro com crianças pequenas são situações potencialmente perigosas. Antes que a criança tenha idade suficiente para entender a importância da segurança, a regra sobre o cinto de segurança é outra restrição que ela pode decidir testar até o limite.

Problema

IDAS AO SUPERMERCADO

Crianças pequenas comportam-se mal em supermercados. Choramingam para descer do carrinho, fogem pelos corredores, puxam coisas das prateleiras, imploram por guloseimas e – quando nada disso surtiu efeito – têm um acesso de raiva no caixa. Muitos pais têm absoluto pavor da compra semanal de supermercado ou de qualquer ida a esse local. Alguns têm tanto pavor que nunca levam os filhos com eles. Nem sempre é possível conciliar a ida ao supermercado com horários em que seus filhos possam ficar sob a supervisão de outra pessoa. Há maneiras melhores de utilizar a ajuda de terceiros – como para proporcionar um tempo de qualidade a você e seu cônjuge, por exemplo.

Solução

A TÉCNICA DO ENVOLVIMENTO

Você pode achar a compra semanal um fardo, mas não precisa dizer isso ao seu filho. Crianças dão trabalho em supermercados porque ficam entediadas, você está ocupada e distraída, e eles sabem que essa é a oportunidade certa para se comportar mal. A solução, que faz maravilhas com bebês que estão aprendendo a andar e crianças pequenas, é envolvê-los no que você está fazendo. Faça o possível para que a ocasião seja interessante para eles. Dê-lhes pequenas tarefas. Quando levo uma criança ao supermercado, faço uma listinha de compras só para ela. Fico com a lista grande e ela com a pequena, contendo umas três coisas que ela está encarregada de pegar. São coisas próprias de adultos como pão, leite, laranjas e suco. Enquanto percorremos os corredores, fico lembrando o que tem em sua lista e dizendo-lhe para procurar. "Você já achou o leite?" Se você preferir, pode desenhar as figuras em vez de escrever os nomes na listinha, mas acho que mesmo crianças pequenas podem se lembrar de uma lista com três ou quatro coisas. Não esqueça de incluir alguma coisa que esteja no início da loja, outra nos corredores do meio e algo no fim para que a brincadeira dure bastante. No programa *Supernanny*, experimentamos essa técnica com o Charlie, de dois anos e meio, que tinha abundante experiência anterior de aterrorizar no supermercado. A seqüência não foi incluída no programa final, mas posso lhes assegurar que a técnica funcionou como um passe de mágica.

Problema

PASSEIOS DE CARRO

O menor problema que você enfrentará no carro são as várias formas de perguntar "Já chegamos?" que seu filho encontra para deixar claro a cada dez segundos que a viagem está demorando muito e ele não agüenta mais. A ladainha geralmente começa tão logo você vira a esquina de casa. Se você tiver mais de uma criança no banco de trás, o tédio pode levar às rixas e brigas, lutas e chutes. Em casos extremos, a criança pode tentar sair do banco do carro ou soltar seu cinto de segurança. Vez por outra, as crianças se comportam mal em automóveis porque têm medo de algumas situações. Às vezes, o problema pode se resumir ao enjôo no carro. Antes que a criança consiga se expressar claramente para você que andar de carro (ou também de ônibus) a deixa enjoada, a primeira indicação que você terá (depois dos gritos e choro) é a palidez pouco antes de ela realmente enjoar. Peça ao pediatra um remédio contra enjôo se suspeitar de que essa é a origem do problema. O enjôo pode causar grande sofrimento às crianças. Certifique-se de que seu carro não esteja muito quente e abafado; isso deixa as crianças nauseadas.

Solução

DISTRAÇÃO E ENVOLVIMENTO

Tente prevenir o mau comportamento no automóvel tornando os percursos interessantes e animados, e não apenas um meio para atingir um fim. Faça seu filho escolher um brinquedo favorito para brincar no carro. Toque cds infantis e divertidos. Chame a atenção para coisas interessantes fora do veículo. Com crianças mais velhas, você pode propor uma brincadeira de contar "Quantos carros vermelhos você vê?" ou um jogo de palavras "O que você está vendo na rua que começa com J". Se a criança insistir em se comportar mal no carro ou conseguiu escapar de sua cadeirinha ou do cinto de segurança, pare o veículo na primeira oportunidade. Crianças soltas no carro correm um perigo real, e por isso é ilegal transportá-las sem que estejam seguras em suas cadeirinhas. Coloque-a de volta na cadeira, afivele o cinto e ignore pernas esticadas, costas dobradas e acessos de raiva que podem acontecer na seqüência; espere ela se acalmar antes de seguir viagem. Explique-lhe com firmeza como é importante que ela permaneça no seu lugar.

Problema

SAIR CORRENDO

Para cada criança que não desgruda dos pais, há sempre uma que adora escapulir – no parque, na rua ou na loja. Num momento ela está segurando sua mão e no outro você está com o coração na boca. Para ela, é um jogo emocionante de perseguição ou de esconde-esconde em grande escala. Para você, até encontrá-la ilesa outra vez é a pior situação possível.

Solução

REGRAS E EXPLICAÇÕES / RÉDEAS

Deixe claro que seu filho deve segurar sua mão todas as vezes que atravessar a rua. Explique o porquê. Ensine-o de maneira positiva e faça com que repita os motivos toda vez que vocês forem atravessar a rua. "O que fazemos agora? Damos as mãos. Olhamos se não vem carro. Olhamos para os dois lados e, quando for seguro, atravessamos a rua." Nunca é demais repetir. "Verifique se o sinal está verde. Você está vendo a luz verde? Quando acender a luz verde quer dizer que é seguro atravessar a rua". Quando levar seu filho ao parque ou qualquer local semelhante, explique cuidadosamente até onde ele pode ir. "Fique perto do escorregador onde eu possa vê-lo." Aumente a confiança. Se ele fugir, traga-o de volta e faça-o segurar sua mão, o carrinho de bebê, ou diga-lhe para sentar no triciclo. É como puxar rédeas imaginárias. Mas se seu filho é do tipo determinado a fugir em cada oportunidade, regras e explicações não vão funcionar. Se a sua ansiedade já tomou conta de você, não vejo razão para não usar rédeas de verdade nessa situação. Pelo menos, você se sentirá melhor. Até que ele atinja a idade de ter um pouco de bom senso e consiga controlar o impulso de fuga, é melhor prevenir do que remediar.

MINHAS 10 REGRAS DE OURO

Em resumo, seguem minhas dez regras de ouro para habilidades sociais e problemas de comportamento:

1. ELOGIOS E PRÊMIOS
Elogios e reconhecimento positivo são importantes quanto se trata de ensinar habilidades sociais. Repare no bom comportamento. Não faça uso de brinquedos ou guloseimas regularmente.

2. CONSISTÊNCIA
Não mude ou invente regras a torto e a direito. Persista até o fim e certifique-se de que seu cônjuge o apóie. Reforce regras importantes constantemente, como a de atravessar a rua com segurança.

3. ROTINA
Arranje tempo em sua agenda para brincadeiras dentro e fora de casa. Varie as brincadeiras e tenha agrados ou jogos especiais de reserva para os dias de chuva. Tente brincar ao ar livre o máximo possível para as crianças descarregarem energia.

4. LIMITES
Seja claro sobre as regras e sobre o que espera de seus filhos em termos de comportamento. Estabeleça limites para assistir TV. Ensine respeito pelos objetos pessoais mantendo o caos sob controle.

5. DISCIPLINA
Use a Técnica do Degrau do Malcriado para comportamentos inaceitáveis como luta e agressão.

6. AVISOS
Avise o que vai acontecer a seguir para que seu filho possa se preparar. Não pare a brincadeira de repente e espere que a criança passe tranqüilamente para a atividade seguinte. Dê alertas antes de disciplinar para que ele mesmo consiga corrigir seu comportamento.

7. EXPLICAÇÕES
Mostre e diga a seu filho como você espera que ele se comporte com relação às "áreas cinzentas". Sempre fale sobre os motivos que causam o medo e transmita muita confiança. Ensine seus filhos a jogar e a brincar com brinquedos.

8. AUTOCONTROLE
Não compre para seu filho a loja de brinquedos inteira. Brinquedos improvisados também são muito divertidos. Faça rodízio de brinquedos para que não fiquem todos expostos ao mesmo tempo. Controle a TV e monitore os programas que os pequenos assistem.

9. RESPONSABILIDADE
Ensine seu filho a compartilhar e dividir. Não fique em cima deles o tempo todo enquanto eles brincam. Use a Técnica do Envolvimento nas compras de supermercado e em outras ocasiões em que você estiver ocupada.

10. RELAXAMENTO

Curta os seus filhos. Participe de suas brincadeiras e deixe que eles comandem. Abrace-os e leia uma bela história.

Hora de ir para a cama

Você se lembra de como é o sono? De se deitar e se aconchegar junto ao seu companheiro e *dormir a noite inteira*? Lembra-se de acordar renovada e pronta para enfrentar o dia? Uma boa noite de sono é uma lembrança distante para muitos pais de crianças pequenas. Mas isso pode ser diferente.

Acho justo dizer que os problemas de falta de sono enviam mais pais em busca de apoio e aconselhamento do que qualquer outra questão de assistência à infância. É compreensível. De todas as áreas de conflito e questões de crise, a dificuldade na hora de dormir é causa potencial das maiores aflições. Do bebê que chora intermitentemente à noite à turbulenta criança pequena, que acha uma boa idéia prolongar o horário de dormir até meia-noite, ao pré-escolar atormentado pelos terrores da noite, que vai para a sua cama antes do amanhecer, os problemas de sono assumem muitas formas e podem ocorrer em qualquer idade.

Se seu filho não dorme ou dorme mal, se você leva a noite inteira só para colocá-lo para dormir, todos sofrem. Todos conseguem se recuperar após uma noite de sono entrecortado, mas semanas e semanas de noites insones ou de sono agitado são uma verdadeira tortura. Quando você está exausto, a tarefa mais simples se torna uma luta penosa. Sem o sono regular, até a pessoa mais feliz e tranqüila ficará irritável, depressiva, com menor capacidade de concentração e mais propensa a sofrer acidentes ou cair doente. E se como esse estado de zumbi não bastasse, você também achará mais difícil agüentar seu filho durante o dia, perderá a paciência – o que acarretará mais conflitos, mais acessos de raiva e um desgaste de nervos generalizado.

E os efeitos se propagam pela família. Um corpinho insone e você terá não apenas uma mãe exausta, mas também um pai esgotado e os filhos mais velhos irritados. Em outras palavras, apesar de todas as aparências em contrário, seu filho insone também sofre. Pode parecer que não, mas o pequenino de olhos espertos, batendo nas paredes às quatro da manhã, não está tendo o descanso de que precisa. Ao contrário dos adultos e de crianças mais velhas, bebês ou crianças pequenas que vão dormir tarde ou acordam por longos períodos durante a noite normalmente não conseguem recuperar esse sono.

A boa notícia é que até o pior problema de sono pode ser revertido em um espaço de tempo surpreendentemente curto. Pode levar apenas alguns dias. Logo que você escolher um padrão de sono adequado para seu filho, não vai querer nem lembrar. Eu usei as técnicas descritas neste capítulo inúmeras vezes com sucesso. Elas funcionam e os benefícios são imediatos para todos da casa. Você vai ficar espantada de ver seu filho não só dormindo a noite toda, mas também tirando regularmente pequenos cochilos durante o dia. Provavelmente você notará que o apetite dele também melhorou. O dia será mais calmo e você curtirá seu filho muito mais.

Como acontece com qualquer regra ou técnica, você tem de persistir. No fim do dia, morto de cansaço, ou no meio da noite quando acabou de sair de uma cama quente, é fácil fazer vistas grossas. Todos os pais são programados para reagir ao choro, mas há diferença entre a verdadeira aflição e o tipo de choro cujo propósito é desgastar os pais até que eles cedam. Lembre-se: você não está sendo cruel. Você está simplesmente ensinando seu filho como conseguir o que todas as crianças precisam, que é uma boa noite de sono. Ele não sabe que precisa dormir, mas você sabe e sua capacidade de discernimento é melhor do que a dele.

Problema

RECUSA EM IR PARA A CAMA

A criança que se recusa a ir para a cama está se privando de um sono importante. Além disso, está privando você de um tempo de qualidade essencial, que poderia ser dedicado a você, a seu cônjuge ou aos outros filhos. Isso pode não ser tão sério como a exaustão decorrente de acordar repetidas vezes durante a noite, mas é uma grande fonte de tensão e irritação em muitas famílias. Uma versão mais branda do mesmo problema é quando a criança pede para beber água inúmeras vezes para protelar indefinidamente o momento da separação.

Crianças que já andam e dominam a família são especialmente propensas a esse tipo de comportamento. Para muitas delas, o horário de dormir pode continuar a ser um campo de batalha por muitos anos.

Solução

A ROTINA NA HORA DE DORMIR

A rotina na hora de dormir tem duas funções importantes: permite que a criança saiba que há um padrão invariável na hora de ir para a cama – ela não conseguirá mudar ou manipular a situação – e prepara o sono da criança numa seqüência tranqüila de eventos programados para ajudá-la a relaxar.

UMA HORA DE DORMIR RAZOÁVEL

O primeiro passo é estabelecer um horário para ir para a cama. Não importa a hora em que as crianças sejam colocadas na cama, elas tendem a acordar de manhã sempre no mesmo horário – geralmente muito cedo e, às vezes, ao amanhecer. Isso significa que quanto mais tarde elas forem para cama, mais cansadas estarão no dia seguinte. A noção de "ficar deitado" é totalmente estranha às crianças menores de cinco anos.

Pela minha experiência, crianças na idade da pré-escola se beneficiam com o horário de dormir entre dezenove e vinte horas. Assim que colocam a rotina da hora de dormir em prática, muitos pais – que antes afirmavam que seus filhos precisavam de poucas horas de sono em comparação a outras crianças da mesma idade – ficam surpresos ao descobrir que o pequeno que parecia tão aceso vai alegremente para cama muito mais cedo do que esperavam e dorme um número de horas muito maior.

Contudo, em algum momento entre os dois e os quatro anos de idade, o abençoado intervalo das sonecas da tarde deixará de existir. Pais de crianças pequenas valorizam muito este breve momento de sanidade, pois é quando eles conseguem tomar um banho, beber uma xícara de chá ou simplesmente apreciar o som do silêncio. Mas você sabe que esse estágio não durará para sempre. Se você começar a achar que a hora de ir para cama está ficando difícil novamente, e seu filho não parece estar com sono, apesar de todas as estratégias de relaxamento, talvez esteja na hora de deixar para trás a soneca da tarde. Inevitavelmente, haverá um período de transição, quando sua criança estará muito alerta na hora de dormir, caso tenha tirado uma soneca à tarde, mas supercansado e irascível, caso não tenha dormido durante o dia. Acredite, isso não dura muito.

Um horário determinado de ir para cama, dá às crianças o descanso de que elas precisam. E, aos irmãos mais velhos, umas horas extras em que podem necessitar de sua atenção – para uma conversa, pedir ajuda com a lição de casa ou simplesmente ficar com você. E devolverá suas noites a você e seu cônjuge.

Como identificar que a criança está com sono

Se, em sua vida familiar, a hora de dormir é um campo de batalha, talvez você não esteja percebendo os sinais que indicam que seus filhos estão prontos para ir para cama, mesmo que estejam dizendo o contrário. Um bocejo é, naturalmente, um sinal óbvio, mas outros sinais incluem não só choramingos e irritação (aquela choradeira antes de ir para cama), como também o ato de esfregar os olhos, chupar o dedo e deitar no chão. Se a criança demonstrar esses sinais muito antes da hora estabelecida para dormir, você poderá adiantar a agenda; se os sinais demonstram que não estão com tanto sono, você poderá atrasar o horário em pequenas doses, dia após dia.

CONTAGEM REGRESSIVA PARA A CAMA

Você estabeleceu um horário de ir para cama. Ele está afixado na parede como parte do esquema de atividades da família. Agora você terá de colocá-lo em prática.

O segredo para uma rotina eficaz na hora de ir para a cama é reservar um tempo suficiente para cada estágio, assim a criança não sentirá que está sendo apressada para fazer as coisas. Por outro lado, tempo demais pode dar espaço para manipulações. Cerca de uma hora entre a hora do banho e a hora de dizer boa noite, é uma boa medida.

A menos que seu filho seja muito precoce, ele não terá nenhuma idéia de quanto tempo dura uma hora. As crianças têm somente noções muito vagas de tempo. É sua obrigação ser o Relógio Falante:

🐼 Daqui a cinco minutos, é hora de tomar banho.

🐼 Daqui a dois minutos, é hora de sair do banho.

🐼 Depois que eu ler esta história, é hora de apagar a luz.

Acalmar a criança ao longo da rotina da hora de dormir significa dar avisos regulares sobre o que vem a seguir, assim a criança terá tempo para se preparar para cada fase. De certa forma, isto funciona um pouco como os avisos verbais que você dá para o mau comportamento, só que sem o tom de reprovação.

COMO COLOCAR SEU FILHO NA CAMA:

- Durante os preparativos para a hora de dormir, mantenha a maior calmaria possível. Agora não é hora para desenhos animados, vídeos barulhentos, jogos de computadores ou de confusão. Uma criança superestimulada e muito agitada não pode simplesmente desligar um botão e cair no sono, da mesma forma que os adultos também não conseguem. Diminuir o ritmo é importante.

- Dê uma indicação clara de que está chegando a hora de dormir, cerca de dez minutos antes de você começar a rotina.

- Comece com um banho. Água quente é um auxílio natural para o relaxamento. Dê um aviso antes de começar o banho e um outro pouco antes de terminar.

- Elogie a cooperação da criança com as tarefas simples. Isso fará com que ela se sinta envolvida na rotina. "Agora é hora de sair do banho. Você pode puxar o tampão da banheira para mim? Muito bem!"

- Elogie a criança quando cada estágio for concluído de maneira tranqüila.

- Leia uma história. Deixe que ela escolha uma dentre uma pequena seleção. Não ofereça muitas opções ou você vai ver-se no meio de uma batalha de vontades, mas se ela tiver uma história favorita, por favor, leia (e fique preparada para a ler na noite seguinte, na outra noite, e na outra...). Faça perguntas sobre as figuras, chame a atenção dela. "Está vendo este coelho? O que ele está fazendo?"

- Talvez você perceba que depois da história, ela queira conversar um pouco. Este é um bom momento para renovar a confiança, fazer elogios, destacar bons momentos. "Você foi um bom menino na hora do almoço, hoje". Outra idéia é antecipar o que acontecerá no dia seguinte: "Amanhã nós vamos ao parque com Rose e depois vamos tomar um lanche na casa da Brenda."

🐼 Alguns edredons ou brinquedos macios também ajudam a amenizar a separação na hora de dormir, mas não transforme o berço num cercadinho. Mais tarde, quando você for dar aquela espiadinha, poderá colocar alguns brinquedos na parte de baixo do berço para o caso de ela acordar mais cedo e querer brincar.

🐼 Quando for chegada a hora do "apagar as luzes", dê alguns avisos antes.

🐼 Não crie o hábito de ficar com o seu filho até que ele pegue no sono. Se ele estiver cansado e você tiver cumprido a rotina passo a passo, ele estará bem sonolento e pegará no sono facilmente.

🐼 Luzes apagadas! Nenhuma criança aprende a pegar no sono com a luz acesa.

🐼 Não fique tentada a tomar um atalho e apressar a rotina. Se você pular um estágio, a criança perceberá e você perderá a cooperação dela. Dessa forma é provável que demore mais tempo nesta etapa do dia.

🐼 Se você estiver se revezando com seu parceiro a rotina de colocar a criança para dormir, certifique-se de que vocês dois sigam as mesmas regras e estágios. Seja consistente e demonstre que papai e mamãe falam a mesma língua.

🐼 Não deixe seu filho pegar no sono no sofá e depois ser levado para a cama. Ele vai acordar em pânico, perguntando-se como chegou lá.

GERENCIANDO VÁRIOS HORÁRIOS DE IR PARA A CAMA

Crianças mais velhas podem lidar com muitos dos estágios da hora de dormir com o mínimo de supervisão. Mas se você tiver mais de um filho com menos de cinco anos, a hora de dormir é ainda muito trabalhosa. Quanto mais filhos você tiver, de mais ajuda precisará.

A resposta é separar ou escalonar a hora de dormir de maneira que os mais novos vão para a cama primeiro, e logo em seguida as crianças mais velhas. Se for possível, divida seus esforços de forma que cada um dos pais seja responsável por uma criança. A hora de dormir funciona melhor quando cada criança recebe algum grau de atenção individual. Certifique-se de trocar de papel com seu companheiro na noite seguinte, assim eles terão a chance de ter um tempo especial com mamãe e papai.

É na hora do banho que os vários horários de ir para a cama podem falhar. Você pode pedir a ajuda de seu filho mais velho quando chegar a hora de dar banho nos irmãos menores. Tarefas simples como pegar o sabão ou a esponja, pegar a toalha ou o brinquedo. Tudo isso pode aumentar a confiança da criança e a vontade de cooperar. Este tipo de envolvimento costuma ter um efeito bombástico, fazendo com que ele se comporte muito melhor quando chegar a sua hora de dormir.

QUEBRAS DE ROTINA

Há dois tipos de rompimento que podem causar confusão com as rotinas: os evitáveis e os inevitáveis. Mas, por favor, permita que suas crianças fiquem acordadas até mais tarde aos sábados, desde que você esteja preparado para se manter firme e voltar a colocar ordem na hora de dormir no domingo à noite. Mas não se deixe levar por eles permitindo-lhes que fiquem até mais tarde para assistir programas de televisão. É para isso que servem os vídeos.

Contudo, há momentos em que a rotina sai fora de controle. Quando a criança está doente ou quando nascem os dentes, o desconforto físico inevitavelmente anulará qualquer estratégia de relaxamento. Assim que a crise passar, retome a rotina o mais breve possível. Não permita que a interrupção se torne uma desculpa para relaxar com as regras.

As crianças são muito apegadas às suas próprias camas e grande parte de sua segurança advém dos lugares familiares, o que freqüentemente torna difícil acomodá-los quando você está fora de casa. Lembranças de suas próprias camas e do quarto podem ser objetos de conforto úteis num ambiente estranho – leve os brinquedos e os edredons favoritos. Na medida do possível, tente manter uma rotina parecida quando estiver fora de casa para não ter de reinventar a roda quando voltar.

Problema

NÃO SER CAPAZ DE DORMIR SOZINHO

Se você sempre espera seu filho pegar no sono antes de sair do quarto, a criança entenderá que sua presença faz parte da rotina da hora de dormir e terá dificuldades no momento da separação. E você vai achar que grande parte de suas noites estará indo por água abaixo, sem deixar vestígios. As crianças que só conseguem pegar no sono com os pais no quarto precisam aprender a dormir sozinhas. O que pode ser um elemento reconfortante quando a criança é muito pequena, pode se tornar um problema de autoridade à medida que ela aprende como adiar o momento da separação cada vez mais para manter você a seu lado.

Solução

A TÉCNICA DA SEPARAÇÃO PARA DORMIR

Esta técnica é uma maneira de quebrar gradualmente o ciclo de dependência, assim a criança aprende que pode dormir sem que você esteja no quarto.

- Quando puser a criança para dormir, não deite nem sente na cama com ela. Diga boa noite, dê-lhe um abraço e diga-lhe que agora é hora de dormir. Então, sente-se no chão bem perto da cama.

- Vire a criança de forma que ela não a veja. Se ela mantiver contato visual com você, tentará começar uma conversa. Fale para ela fechar os olhos e que é hora de dormir.

- Certifique-se de que a luz esteja apagada e a porta aberta.

- Sente-se em silêncio, sem olhar para a criança, até que ela pegue no sono. A cada momento que ela tentar falar com você, apenas diga:"durma".

🐨 Na noite seguinte, repita os mesmos estágios, sentando-se um pouco mais afastada da cama. No decorrer das outras noites, mova-se cada vez mais distante da cama e em direção à porta até que você esteja sentada do lado de fora do quarto.

🐨 O último estágio é seguir o procedimento de sentar fora do quarto, com a porta entreaberta. Naturalmente, esta técnica vai demorar um pouco, mas lembre-se de que você estará quebrando um hábito que poderia continuar por anos.

Problema

O ANDARILHO NOTURNO

Todas as crianças, e os adultos também, têm breves períodos de insônia durante a noite. A cada hora, mais ou menos, chegamos à beira da consciência e, depois, nos viramos e voltamos a dormir. Faz parte do padrão natural do sono. O que não é natural, é quando aquele breve período acordado deixa a pessoa em estado de alerta e incapaz de voltar a dormir.

Todos já experimentamos noites assim. De repente, você se vê acordado às três horas da madrugada incapaz de se desligar de suas ansiedades sobre um prazo de entrega urgente ou uma despesa imprevista. Ou, quem sabe, você tenha acordado com o barulho de seus vizinhos dando aquela festa de arromba e descobre que não pode abaixar o volume e voltar a dormir novamente. Medos, pesadelos e coisas que surgem à noite podem também acordar as crianças, da mesma forma que o desconforto de uma dor de dente ou doença. Mas quando a criança acorda constantemente, dia após dia, semana após semana, chorando ou saindo da cama, é outra história. Se você reage ao pequeno "andarilho noturno" oferecendo comida, carinho e distração, estará apenas reforçando um mau hábito e seu filho não vai aprender como sossegar sozinho.

Bebês

Os bebezinhos, especialmente os que mamam no seio da mãe, acordam em intervalos regulares durante toda a noite – em geral, porque estão com fome ou molhados. Uma criança muito pequena só pode beber um tanto de leite de cada vez; quando esse leite for digerido, seu bebê estará pronto para mais uma rodada e avisará rapidinho.

Quando o intervalo entre as mamadas é curto, o "sono picado" é inevitável, mas existem várias maneiras de minimizar essas interrupções e começar a ensinar ao seu bebê a diferença entre o dia e a noite.

🐻 Use um abajur.

🐻 Nos primeiros dias, mantenha o berço ou o cestinho em seu quarto, assim você poderá responder antes que um resmungo se torne um choro a plenos pulmões que acorde todo mundo. Contudo, sugiro não manter o bebê em seu quarto por muito tempo. Você ficará acordando desnecessariamente quando ele fizer o menor barulho e poderá tornar a separação um problema mais tarde. Três meses é uma idade razoável para mudar o bebê para seu próprio quarto.

🐻 Quando o bebê acordar durante a noite, alimente-o, mas não fale ou o estimule com brincadeiras. Passe a mensagem de que o dia é diferente da noite. Vire-o, troque as fraldas e acomode-o.

🐻 Se o bebê estiver dormindo, mas você ainda não tiver ido para a cama, não ande na ponta dos pés na tentativa de manter tudo absolutamente quieto. Um barulho súbito pode acordar o bebê, mas barulhos normais não.

🐻 Divida a carga. Se você estiver dando de mamar com a mamadeira, organize um roteiro de forma a fazer com que seu companheiro divida algumas das noites para alimentar o bebê. Se você estiver amamentando no peito, retire um pouco de leite.

🐼 Depois de alimentado, o bebê pode muito bem cair no sono em seus braços. Caso isso não aconteça, coloque-o de volta no berço e deixe-o se acalmar e voltar a dormir. Se os resmungos continuarem, tente fazer um pouco de massagem nas costas ou no estômago, mas não o pegue no colo a menos que ele comece a chorar muito. Podem ser gases que o incomodam. Nesse caso, acalme-o colocando-o sobre seus ombros e dando batidinhas nas costas do bebê.

Depois do desmame

Assim que a comida sólida for parte integrante da dieta, *não há razão de porquê um bebê não deva dormir a noite toda.* Se ele continuar a acordar várias vezes durante a noite, noite após noite, não é por causa da fome, mas por uma razão diferente e, normalmente, ele está à procura de carinho.

Como se não bastasse ficar levantando a cada hora para dar assistência a uma criança aos prantos, muitos pais se vêem horas a fio, acalmando e embalando uma criança completamente acordada em seus ombros. Depois de algum tempo, as noites mal dormidas se tornam norma. Uma criança que é pega no colo, alimentada e acalmada a todo instante em que acorda e chora, logo aprende que o céu é o limite. Francamente, você não vai querer ficar dirigindo por todo o bairro, de pijamas, tentando fazer com que a criança sentada no banco de trás do carro pegue no sono.

🐼 Se o acordar durante a noite é recente e durou somente alguns dias, a causa pode ser o nascimento dos dentes. Espirros e resfriados também podem interromper o sono do bebê. Exclua primeiro a hipótese de doenças e nascimento dos dentinhos.

🐼 Às vezes, a criança pode ter crises de insônia quando sente que está perdendo a atenção que teve durante o dia. Nesse caso, fica acordada em sinal de protesto para deixar que você saiba que ela sentiu a mudança. Se você anda muito ocupado ou preocupado, pense em maneiras de dedicar mais tempo de qualidade ao pequeno durante o dia.

🐼 Se a criança é facilmente acalmada com uma massagem carinhosa nas costas ou com um abraço, você não precisa tomar outras providências. O problema se resolverá sozinho com o tempo. Não responda a todo choramingo: de chance ao bebê para que ele aprenda a se acalmar sozinho.

🐼 Se você deseja continuar a amamentar após a introdução de alimentos sólidos, as mamadas devem acontecer somente durante o dia. Dê o peito antes de a criança ir dormir e assim que ela acordar pela manhã. Você não terá a menor chance de fazer com que a criança durma se continuar alimentando-a durante a noite. O leitinho de madrugada é uma coisa muito gostosa e o pequeno não abrirá mão dele facilmente.

Solução

A TÉCNICA DO CHORO CONTROLADO

Se a insônia se fixou como um padrão regular e está exigindo um preço muito alto da família, você pode tentar a Técnica do Choro Controlado. Versões desta técnica são amplamente usadas por muitos profissionais que lidam com transtornos do sono e orientam famílias, e eu sempre as achei altamente eficazes. Em muitos casos, a técnica resolve o problema em menos de uma semana.

No início, é importante estabelecer que o "choro controlado" não é o mesmo que "deixar a criança chorar". Aquele receita fora de moda não é mais aceita hoje em dia: e com razão, porque é tanto cruel quanto ineficaz. O "choro controlado" é completamente diferente. Em vez de deixar uma criança chorar por longos períodos sem ser atendida, o que reforça a sensação de abandono, o "choro controlado" demonstra que você ainda está por perto, que não foi embora, mas que está no comando e é hora de dormir.

Eu sei que alguns pais não querem deixar seus filhos chorando por nem um minuto sequer. Embora não recomende a técnica para todas as famílias, eu, realmente, acredito que seja uma das melhores maneiras de se quebrar um ciclo de insônia.

O segredo da técnica é aprender a distinguir entre os diferentes tipos de choro. Um choro contínuo, a plenos pulmões, ou um choro mais baixo, parecido com um gemido é sinal de que a criança está aflita ou com dor. Quando seu filho está chorando dessa forma, é hora de agir prontamente e descobrir qual é o problema.

Chorar pedindo por colo ou atenção soa um pouco diferente. Pode começar com um choramingo ou um queixume, mas tende a aparecer em intervalos enquanto a criança espera pelos resultados, e depois recomeça de novo. É como se seguisse um padrão de ondas.

Cabe a você observar e escutar o choro de seu filho. Até que você se sinta confiante de que pode reconhecer a diferença dos diferentes tipos de choro, não inicie a técnica.

Esta é a forma como eu a utilizo:

🐼 Na primeira vez que a criança acordar, passe alguns momentos escutando o timbre do choro. Ouça e observe. É difícil para os pais ter que ouvir seu filho chorar e não responder, mas tente ficar calmo e não se deixe invadir por sentimentos de pânico. Se o choro não indicar aflição, espere um momento.

🐼 Quando houver um choro seguido, vá até a criança. Não acenda a luz. Não faça contato visual – olhe na ponta do nariz ou na barriguinha dela. Não fale ou nem puxe papo. Faça um som calmante – o bom e velho "shi" – e faça um carinho nas costas ou na barriga, recoloque as cobertas e saia do quarto.

🐼 Aceite o fato de que seu filho vai acordar e chorar novamente. Você está lidando com um padrão. Pode ser dentro de uma hora ou em 5 minutos. Quando a criança chorar novamente, espere o dobro do tempo antes de ir até ela e então repita os mesmos procedimentos.

🐼 Cada vez que a criança acordar, continue dobrando os intervalos para ir até ela e acalmá-la. Este é o ponto em que a maioria dos pais acha a técnica muito difícil. Deixe-me lhes dizer as emoções que vocês começarão a sentir. Responder ao choro do seu filho é um instinto natural. Quando você tenta resistir ao impulso, sofre uma descarga de adrenalina, as mãos ficam quentes e suadas, o coração dispara e você sente que está começando a sair do controle. Entenda que essa é apenas uma reação natural do seu corpo e tente manter a calma. Peça a ajuda de seu companheiro ou peça a uma amiga para passar a noite com você – alguém que possa lhe dar conforto e força quando for acometida por esses sentimentos ruins.

🐼 Não desista e não deixe o assunto de lado. A criança entenderá a mensagem talvez até mais cedo do que você imagina. É provável que você comece a notar uma melhora substancial em algumas semanas.

Problema

SAIR DA CAMA

Entre os dois e os três anos de idade, talvez um pouco antes, a criança descobrirá que tem uma arma secreta a sua disposição: ela pode sair da cama! Crianças que se acomodam para dormir num horário razoável e depois saem da cama várias vezes durante a noite geralmente estão tentando chamar a atenção. Elas podem dar uma série de motivos para a causa de sua insônia – fome, sede, pesadelos, está muito quente, muito frio – alguns dos quais podem ser muito contraditórios! O simples fato, não importa o que aleguem, é que a insônia se tornou um mau hábito e elas sabem que podem escapar impunes.

Solução

A TÉCNICA DE PERMANECER NA CAMA

Antes de qualquer coisa, elimine todas as desculpas possíveis para sair da cama. Mantenha sempre um copo de água ao lado da cama, para o caso de seu filho ficar com sede à noite. Certifique-se de que ele faça xixi antes de dormir. Dê a ele cada vez menos motivos para sair da cama.

Se isso não funcionar, use a Técnica de Permanecer na Cama. Normalmente, os resultados são muito rápidos com esta técnica. O importante é não argumentar as razões para a insônia – seja qual for a lógica de uma criança com menos de cinco anos, você não vencerá.

🐞 A primeira vez que seu filho sair da cama, acompanhe-o de volta e explique que é hora de deitar. Dê um pequeno abraço nele e saia do quarto.

🐻 Na segunda vez, coloque-o de volta na cama e diga: "É hora de dormir, querido". Dê outro abraço e saia.

🐻 Na terceira vez, coloque-o de volta na cama sem dizer uma única palavra.

🐻 Os próximos episódios devem ser tratados da mesma forma. Não diga nada, não converse, não discuta. Você tem de assumir o controle e entender suas emoções. Você não está sendo malvado, está apenas ensinando seu filho a ficar na cama.

🐻 Esta técnica funciona melhor quando o pai ou a mãe que colocou a criança na cama seja o mesmo a levá-la de volta quando ela acordar. É essencial seguir estas instruções, pois elas permitem que a criança perceba que não poderá fazer um joguinho com os pais.

🐻 Use um quadro com estrelas para recompensar a criança quando ela não der trabalho. Deixe-a saber que tão logo receba um determinado número de estrelas (entre três e cinco está ótimo), ela terá uma recompensa pelo bom comportamento. Mas, por favor, seja sensato com os prêmios. Não arranje sarna para se coçar.

Problema

IR PARA A SUA CAMA

Existe uma diferença muito grande de opinião entre se você deve ou não deixar que seus filhos dividam a cama com você. Para alguns, é uma forma de vida familiar natural e aconchegante. Para outros, é um tremendo pesadelo.

Se seu filho não está muito bem ou está de certa forma inseguro por algum motivo, não vejo porquê ele não deva desfrutar do conforto de sua cama. As manhãs dos finais de semana são boas para esse tipo de aconchego.

Isso é diferente de ter seus filhos em sua cama todas as noites. Correndo o risco de causar uma grande controvérsia, confesso que acho essa uma má idéia. Por quê?

🐼 É bem provável que você não tenha uma boa noite de sono a menos que você, seu companheiro e seu filho(os) tenham todos um sono pesado. Crianças ocupam um espaço desproporcional na cama (normalmente no sentido diagonal), isso sem contar com as reviravoltas e os desejos súbitos de começar um bate-papo às quatro da manhã. Num minuto você poderá ter um cotovelo nos seus quadris, em outro um pezinho na cara. As contorções geralmente continuam até que você se ache ocupando somente 5% da cama e 0% do edredom. A essa altura, seu filho estará no maior sono e você nem pensará em se mexer. É verdade, você pode dormir mais, mas não significa que essa seja a melhor solução para o problema.

🐼 Os pais precisam de privacidade para si; no mínimo, em sua própria cama. Uma criança na cama de um casal é o melhor contraceptivo que existe. Ser pai ou mãe não significa dizer adeus à intimidade ou à vida sexual.

🐻 Pela minha experiência, é o pai que fica com a pior parte. Quando uma criança dorme na cama dos pais, freqüentemente é o pai que se retira para dormir no sofá, na cama vazia da criança ou, em circunstâncias extremas, no chão, somente para ter uma noite decente de sono. Se isso se prolongar por muito tempo, seu casamento vai começar a mostrar sinais de desgaste.

🐻 Se você permitir que um filho vá para a sua cama, não poderá dizer "não" para os outros filhos. Do contrário, verá o início de uma situação complicada. Da mesma forma, as mães que relaxam com a regra "na minha cama não" quando seus companheiros estão viajando, irão ter problemas no futuro.

🐻 Deixar seu filho dormir com você na cama raramente é uma escolha positiva. Pela minha experiência, essa costuma ser uma fuga de outro problema.

Solução

AS TÉCNICAS DO CHORO CONTROLADO E DE PERMANECER NA CAMA

Seja qual for a técnica escolhida, a idade da criança influencia muito no bom êxito. Se o seu filho pequeno acorda várias vezes e chora à noite e você tenta resolver a questão trazendo-o para sua cama, adote a *Técnica do Choro Controlado* (veja a página 211). No caso de um filho mais velho – andarilho noturno contumaz – a *Técnica de Permanecer na Cama* (veja a página 214) fará milagres. Se a criança tem ido para a sua cama nos últimos cinco anos, você não conseguirá quebrar este padrão de comportamento da noite para o dia.

Problema

PESADELOS E TERROR NOTURNO

De vez em quando, as crianças têm pesadelos e algumas desenvolvem um medo do escuro que não dura muito tempo. Sonhos ruins e doenças infantis andam de mãos dadas, e pesadelos também podem estar associados a períodos de estresse e ansiedade: a chegada de um novo irmão, por exemplo, ou o primeiro dia na escola. Entretanto, é muito comum esses transtornos não terem uma origem específica. Mas existe uma diferença entre um pesadelo casual e a criança que acorda repetidas vezes, noite após noite, dizendo que está tendo um sonho ruim. No último caso, estamos falando provavelmente de um mau hábito.

Solução

TÉCNICA DE ACALMAR/PERMANECER NA CAMA

No caso de um pesadelo, vá até a criança ou acompanhe-a de volta à cama, acalme-a e explique que ela teve um sonho ruim. Fique com ela por alguns minutos até que o estresse diminua. Leve sempre a sério os medos dela. Se uma criança desenvolve medo do escuro, abajures no quarto e no banheiro podem ser reconfortantes. Deixe a luz do corredor acesa e a porta entreaberta. Não deixe seu filho persuadi-la para deixar a luz do quarto acesa. Um brinquedo favorito pode ser um consolo. Quando a criança vive usando os pesadelos como desculpa para sair da cama, é provável que esteja testando os limites. Para estas, use a *Técnica de Permanecer na Cama* (página 214).

Problema

ACORDAR CEDO DEMAIS

Em sua grande maioria, as crianças ficam muito mais alertas pela manhã do que os pais. Os pequenos com um padrão de sono natural e que vão para cama na hora em que estão cansados, não quando estão supercansados, costumam acordar ao raiar do sol ou logo depois do amanhecer. Talvez você esteja louco para dar uma esticadinha de mais meia hora na cama, mas seu filho tem outros planos e está sacudindo a sua cama, deixando bem claro o que tem em mente.

Solução

A TÉCNICA DE PERMANECER NA CAMA

Como pais de uma criança pequena, é importante aceitar que ficar mais tempo na cama de manhã é coisa do passado, pelo menos por enquanto. Quando seu filho dorme bem, você também tem o descanso adequado e consegue adequar os horários de modo que acordar mais cedo não seja um grande choque para seu corpo. Ao mesmo tempo, há o cedo, o muito cedo e a madrugada. Se você tiver um filho que realmente goste de acordar cedo, dificilmente conseguirá persuadi-lo a voltar a dormir. Nesse caso, acompanhe-o de volta ao quarto, explique que é muito cedo e lhe diga que ele pode brincar quietinho até a hora de levantar. Isso funciona um pouco como a *Técnica de Permanecer na Cama* (página 214), e permite limitar o acesso a você em horários inaceitáveis.

MINHAS *10* REGRAS DE OURO

Em resumo, seguem minhas dez regras de ouro para os problemas de sono:

1. ELOGIOS E PRÊMIOS
Elogie a criança a cada estágio concluído de forma tranqüila na rotina da hora de dormir. Cante uma música como prêmio um pouco antes dela ir para a cama.

2. CONSISTÊNCIA
Certifique-se de que todas as pessoas que estão envolvidas em cuidar de seus filhos cumpram as mesmas regras. Aquele que colocou a criança na cama deve ser o mesmo que irá colocá-la de volta todas as vezes em que ela acordar ou se levantar. É muito bom deixar os filhos com vocês na cama nas manhãs do fim de semana, mas não permita que isso aconteça em outras ocasiões.

3. ROTINA
Atenha-se à rotina na hora de dormir. Não se descuide e não apresse as coisas. Não faça exceções como incluir programas de televisão.

4. LIMITES
Horários determinados e uma rotina para a hora de dormir são limites claros que mostram aos seus filhos que você é quem está no comando. Fazer com que a criança durma na cama dela toda a noite transmite a mesma mensagem. Os limites também deixam claro que a sua cama e o fim da noite são reservados para você e seu companheiro.

5. DISCIPLINA
Utilize as Técnicas da Separação para Dormir, do Choro Controlado e a de Permanecer na Cama para solucionar os problemas do sono.

6. AVISOS
Diga a seu filho o que vem a seguir na rotina da hora de dormir, assim ele ficará mentalmente preparado para cada estágio. Estabeleça limites de pouca duração. Seu objetivo é usar de autoridade sem intimidá-lo.

7. EXPLICAÇÕES
Mantenha as explicações e os debates ao mínimo quando estiver acomodando as crianças que acordaram durante a noite. Nas duas primeiras vezes, explique que é hora de dormir e depois disso, não diga mais nada.

8. AUTOCONTROLE
Não fique tão desesperado ao ouvir o choro de seu filho a ponto de sair correndo para reconfortá-lo a cada dois minutos. Mantenha a temperatura emocional o mais baixa possível.

9. RESPONSABILIDADE
Na hora de ir para a cama, envolva seus filhos atribuindo-lhes pequenas tarefas – tirar a roupa, tirar o tampão da banheira, pegar um brinquedo para um irmão.

10. RELAXAMENTO
A hora de ir para a cama e a preparação que a antecede devem ser momentos de calmaria. Banhos e histórias ajudam a criança a se acalmar. E uma vez que você tenha um bom padrão de sono estabelecido para seu filho, faça o possível para aproveitar o resto da noite e relaxe!

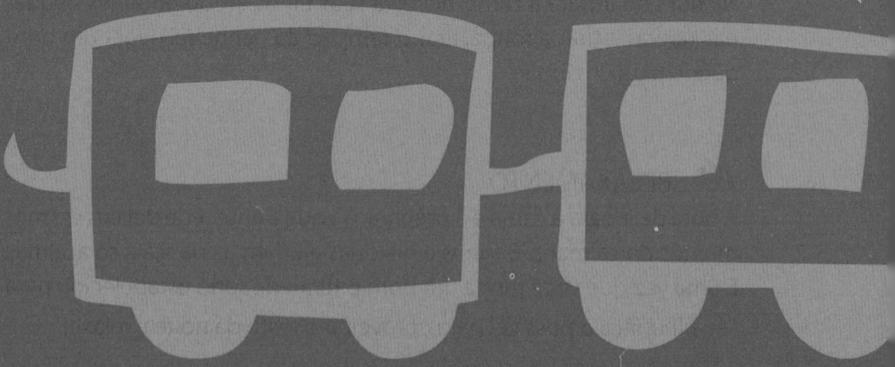

Tempo de qualidade

Num mundo ideal, cada minuto que você passa com a família deveria ser um tempo de qualidade. No mundo real, não é bem assim que funciona. Criar filhos é muito recompensador, mas também é trabalho duro.

Sempre que possível, transforme esse trabalho em algo divertido. Se você estabelece limites para as coisas e os mantém com firmeza, começará a gostar mais de seus filhos em vez de encará-los como uma missão a cumprir. Diversão é importante. Mesmo que muitas vezes não pareça, este é um período precioso e que passará muito depressa também.

Tempo de qualidade também significa que cada pessoa da família deve conseguir aquilo que precisa – mamãe, papai, irmãs e irmãos mais velhos, assim como os bebês. É necessário um pouco de malabarismo e planejamento para que todos recebam atenção individual e tenham um tempo livre.

Um pai ou uma mãe com uma reserva mental, física e emocional vazia não consegue oferecer nada a ninguém. Há uma linha tênue entre fazer a coisa certa e ser um mártir. Se você não cuidar de você e dos seus relacionamentos, sofrerá as conseqüências disso a longo prazo.

Na época de nossos pais ou avós, era muito raro que ambos os pais trabalhassem e pais separados era algo incomum. Hoje, ambos os tipos de famílias estão aumentando. É um fato da vida. Mães que trabalham fora, pais separados ou solteiros são temas de críticas constantes na mídia. Ignore-as. Da mesma forma que você não deve preparar seu filho para o fracasso, não prepare você mesma para a culpa. Obtenha toda a ajuda necessária, use-a e relaxe.

PEDINDO AJUDA

Muito do estresse associado à educação de filhos vem de expectativas irreais. Não existe a mãe ou o pai perfeito. E seja lá o que for que outras mães ou pais venham a lhe dizer, não existe o filho perfeito. Algumas pessoas estão sempre se gabando de seus filhos, o que eles sabem fazer e quão cedo eles começaram a fazer. Não se sinta inadequada por isso. Se estivessem falando a verdade, esses mesmos pais contariam um pouco dos problemas que têm guardado para si.

Antigamente, quando as pessoas não se mudavam tanto como fazem hoje em dia, muitas famílias viviam perto de uma rede natural de ajuda de amigos e parentes, pessoas em quem se podia confiar e que se conhecia a vida toda. Os pais não confiavam em serviços pagos para as pessoas cuidarem das crianças (babás), mas isso não significava que a tia Edith ou a avó não fossem chamadas de tempos em tempos para resolver problemas.

Você não pode fazer tudo sozinho. Pedir ajuda não é sinal de fracasso, é sinal de força. O trabalho dos pais é uma tarefa organizacional enorme, seja você um pai ou mãe que trabalhe fora ou não. É preciso contar com a ajuda de outras pessoas de confiança de tempos em tempos.

Você não precisa de ajuda somente quando passa por uma crise óbvia – quando precisa ser internada para ter um outro bebê, por exemplo, ou num dia de mudança. Você precisa disso como parte de seu cotidiano. Os pais não devem desistir de suas identidades e dos interesses externos só porque nasceram os filhos. Tanto o pai como a mãe precisam fazer coisas para si mesmos e de um tempo para ficarem juntos como adultos.

Encontre uma pessoa de confiança que possa tomar conta de seus filhos. Estabeleça um círculo de revezamento com outros familiares que tenham filhos pequenos. Peça para sua mãe aparecer no fim de semana. Hoje em dia, é difícil viver numa comunidade muito unida, mas existem muitas maneiras de se montar um grupo de ajuda.

CUIDE DE VOCÊ MESMO

Em um emprego remunerado, você espera por um bônus uma vez ou outra, ou até mesmo por uma promoção. Da mesma forma, você deveria se dar um mimo uma vez por mês – uma massagem, um corte de cabelo, uma ida ao cinema, fazer compras, jantar num restaurante, sair uma noite com os amigos. Você tem necessidades como qualquer outra pessoa da família e se não atendê-las, ficará vazia e sem ânimo. Tempo de qualidade não é algo opcional. É uma necessidade.

Os primeiros meses podem ser um período especial de adaptação, cheio de altos e baixos. A mãe deve reconhecer que precisa tomar conta de si mesma, pois pode ser vítima de depressão pós-parto.

Se você fosse um atleta, deveria treinar para o evento – controlaria a dieta, entre outras providências. Se tivesse uma reunião importante ou uma apresentação no trabalho, você se prepararia com antecedência. Ser pai ou mãe é um papel muito importante e você não deveria negligenciar o seu bem-estar físico, mental ou emocional. Não deveria perder noites de sono. Não deveria se fechar e se isolar. Não deveria achar impossível ler um jornal ou um livro até o fim. Embora não existam dúvidas de que você venha a fazer muitos sacrifícios, ser pai ou mãe não tem nada a ver com martírio. Tem a ver com satisfazer necessidades, inclusive as suas.

Se isso é importante para pais que desistiram de trabalhar fora para cuidar das crianças, é duplamente importante para um pai ou uma mãe sozinha que trabalhe fora. Não se torture tanto com culpa por não ficar em casa com as crianças, ao ponto de desistir de qualquer idéia de cuidar de você ou de ter sua própria vida. Você tem babás ou um membro da família que toma conta das crianças – ou quem sabe uma creche – e seus filhos recebem tudo o que precisam. Você terá um tempo de qualidade com eles quando voltar para casa do trabalho e nos fins de semana. Mas também precisa de um tempo só para você para sentir-se equilibrado.

ATENÇÃO INDIVIDUAL

Uma das principais funções de uma rotina diária, além de horários estabelecidos para as refeições e a hora de dormir, é permitir malabarismos com a agenda, de forma que cada criança em sua família tenha atenção individual da mãe e do pai. Isso é fácil através do revezamento entre os pais na rotina da hora de dormir. Uma noite é a vez do papai de colocar o filho de seis anos de idade na cama e a mamãe de dar banho no bebezinho e acomodá-lo. Na noite seguinte, faz-se o contrário. Nos fins de semana, é possível variar quem faz o quê. A mamãe leva o filho de onze anos para passear no shopping enquanto o papai e o filho de quatro anos lavam o carro juntos. Pense em maneiras de misturar as tarefas, assim você não ficará sempre fazendo os mesmos papéis todo o tempo.

Os pequenos muito exigentes tem o hábito de roubar a atenção dos outros irmãos e irmãs, que podem até nem reclamar, mas não se deixe enganar pela falta de protesto como sendo um sinal de aceitação. Os mais velhos precisam de sua atenção, também. Precisam de ajuda com a lição de casa, falar sobre o que aconteceu na escola, precisam de conselhos e apoio. Eles podem amarrar os laços dos sapatos, tomar banho sozinhos, mas ainda precisam de você para uma porção de coisas. A atenção individual de ambos os pais é essencial e deve ser igual à atenção que é dada aos filhos menores.

RIVALIDADE ENTRE IRMÃOS

Um dos grandes inimigos do tempo de qualidade é a rivalidade entre irmãos. Acontece praticamente em quase todas as famílias. Uma diferença de idade comum entre os filhos é de dois anos. Não cabe a mim dizer a você qual é a diferença de idade que deve existir entre seus filhos, mas é importante ficar atento que dois anos de diferença podem criar uma forma mais intensa de rivalidade entre irmãos do que uma diferença de três a quatro anos entre eles. Aos três ou quatro anos, seu filho mais velho ainda sentirá ciúmes, mas você terá uma chance melhor de lidar com isso porque ele será capaz de entender melhor do que uma criança que mal acabou de sair das fraldas.

Preparando-se para a mudança

Seu filho pode não entender que a rápida mudança no tamanho de sua cintura significa que um outro bebê está a caminho, mas pode muito bem perceber, de alguma forma, as mudanças sutis antes mesmo de você contar sobre a chegada de um irmãozinho. Pode ser simplesmente porque você está mais cansada do que o normal, ou sentindo-se enjoada.

Se a criança percebe que sua barriga está crescendo e questiona, aproveite a oportunidade para contar a ela as novidades, assim você pode prepará-la para receber o novo membro da família. Do contrário, deixe as coisas rolarem até pelo menos seis meses. O tempo passa muito devagar para as crianças – três meses é tempo suficiente para prepará-la e não representará uma espera tão longa.

Deixe que seu filho sinta a sua barriga. Deixe-o sentir o bebê chutando dentro dela. Não se entusiasme e exagere muito sobre a chegada do novo membro da família. Muitas crianças preferem ter você somente para eles a ter de dividir a atenção com um novo irmãozinho. Em vez de dizer-lhe o quanto ele amará o bebê, deixe-o saber que ele será o irmão mais velho e uma grande ajuda para você. Continue falando sobre o que vocês farão juntos depois do nascimento do bebê. Pode parecer estranho, mas muitas crianças acham que um novo bebê é uma substituição e não uma adição. Quando uma criança começa a ficar ansiosa sobre a chegada do irmão, ela está pensando: "O que vai acontecer comigo? Eu ainda vou continuar a morar aqui?"

Seu filho pode ter muitas perguntas sobre os mecanismos do nascimento. Não dê mais informação do que ele consegue entender e não diga nada que possa deixá-lo preocupada com você.

O grande dia...

Arranje alguém conhecido e de confiança para cuidar de seu filho enquanto você estiver no hospital. Pode ser difícil precisar o momento exato – você pode ter vários alarmes falsos –, mas faça um plano flexível e diga a seu filho o que vai acontecer. Dê-lhe alguns presentes. Compre um cartão de agradecimento por ser um "bom menino".

Na primeira vez que você o vir depois do nascimento do bebê, faça uma grande festa com ele. O objetivo principal é deixá-lo se sentir totalmente envolvido com a situação. Ele sentiu saudades suas, deve ter ficado preocupado com você e estará sob forte emoção. É um grande passo. Dê-lhe um presente e muita atenção. Não fique tão absorvida com o novo filho que mal perceba a outra criança. Deixe-o segurar o bebê. Elogie-o bastante. Agora não é hora de introduzir para sua criança a noção sobre atenção igual para os dois. Para o irmão mais velho, ele é quem deveria ser o centro das atenções.

...E depois

Uma das maneiras pelas quais as crianças demonstram ciúmes é agindo principalmente quando você tem de cuidar do bebê. Para uma criança ciumenta, atenção negativa, por ter feito alguma coisa inexplicável, é melhor do que atenção nenhuma.

A *Técnica do Envolvimento* (página 87) substitui a atenção negativa pela atenção positiva fazendo com que sua criança participe do que você está fazendo. Peça para ela lhe passar as coisas e a elogie por isso. Continue falando. Explique o que você está fazendo. Valorize o bom comportamento da criança. Com a Técnica do Envolvimento, o filho mais velho recebe atenção ao mesmo tempo que o bebê.

Muitas crianças regridem um pouco com a chegada de um novo irmãozinho ou irmãzinha. Podem começar a falar como bebezinho, molhar a cama ou simplesmente começar a se comportar como se fossem mais novas do que são. A Técnica do Envolvimento pode ser uma boa forma de ter certeza que esse estágio será breve. Elogie bastante a criança por ela ser o "irmão mais velho". Desta forma ela não achará muito interessante voltar a ser bebê.

Brincando junto

Duas crianças pequenas não conseguirão compartilhar ou brincar juntas. Se você tem dois filhos pequenos com pouca diferença de idade, haverá uma fase em que você passará muito tempo separando-os, distraindo-os e, de alguma forma, fazendo com que eles parem de se pegar pelos cabelos.

Quando seus filhos estiverem um pouco mais velhos, você poderá introduzir "brincadeiras compartilhadas". Peça para o seu filho mais velho ajudar a escolher e comandar as brincadeiras, assim ele pensará que está no comando. Encoraje-o a se comportar melhor dando-lhe um pouco mais de responsabilidade. Peça para ele mostrar ao irmãozinho mais novo como jogar ou brincar com um brinquedo.

Brigas constantes

Tente ignorar rusgas sem importância. As crianças aprendem a resolver as situações sozinhas quando você não sai correndo todas as vezes para ajudá-los. Não tente descobrir "quem começou a briga" ou quem é o culpado. Se eles estiverem brigando, os dois são culpados.

Se um deles partir para cima do outro e tiver um comportamento realmente agressivo, tome uma atitude rapidamente. Use a *Técnica do Degrau do Malcriado* (veja página 92) ou a *Técnica da Tolerância Zero* (página 96), caso a primeira não funcione. Deixe claro que você não tolera comportamentos que possam machucar alguém.

TEMPO PARA O CASAL

No programa *Supernanny*, estabeleci uma "lição de casa" para um casal que não havia passado uma noite juntos desde o nascimento do filho, que estava com dois anos e meio. A lição de casa era sair uma noite. Dois anos é muito tempo para um casal ficar sem nenhum tempo de qualidade entre si. Os relacionamentos precisam ser cuidados, o que significa que é preciso ter um tempo junto entre adultos para falar sobre outras coisas, e não só de crianças. De vez em quando, viajem um fim de semana, só vocês dois. Deixe as crianças ficarem uma noite com amigos e passem uma noite sozinhos em casa, se não quiserem viajar. Isso não quer dizer que vocês estão sendo egoístas ou negligentes, é uma forma importante de lembrar que estão juntos em primeiro lugar.

Os pais que costumam ter um tempo de qualidade somente para si próprios, conseguem ser muito mais consistentes na abordagem com os filhos. Acham natural mostrar que estão em sintonia, porque as linhas de comunicação estão sempre abertas e eles ainda funcionam como um casal e não somente como mamãe e papai. Isso também facilita a divisão das tarefas, de modo que não somente um dos pais gerencia a rotina da hora de dormir todas as noites. Os ressentimentos crescem quando um dos pais fica sobrecarregado – "faz uma semana que só eu coloco as crianças na cama!" – e é aí também quando as inconsistências começam a aparecer furtivamente. Quando esse tipo de situação persiste, os pais geralmente começam a discutir sobre suas diferenças a respeito da educação dos filhos e isso apenas piora as coisas.

DIVERSÃO EM FAMÍLIA

Encontre tempo para a diversão de todos juntos em família. Pode ser um passeio ou um piquenique no jardim. Ou um feriado em que vocês viajam para a praia ou numa tarde de um domingo chuvoso disputando algum jogo. Esqueçam as tarefas domésticas por um tempo – elas serão feitas. Daqui a alguns anos, você não vai se lembrar dos lençóis que não foram trocados, mas sim daquele dia especial que passou empinando pipas no parque.

Curtam seus filhos!

MINHAS *10* REGRAS DE OURO

Seguem minhas regras de ouro para o tempo de qualidade:

1. ELOGIOS E PRÊMIOS
Elogios e atenção são as melhores recompensas. Mas dê presentes especiais e cartões a seus filhos quando um novo irmãozinho ou irmãzinha chegar. Vai realmente ajudá-los a se sentirem envolvidos.

2. CONSISTÊNCIA
Os pais entram mais facilmente em sintonia quando têm tempo suficiente enquanto casal. Viajem de vez em quando num fim de semana – somente o casal. E saiam à noite regularmente.

3. ROTINA
Organize sua rotina de forma que cada criança receba atenção individual de cada um dos pais todos os dias. Faça disso um tempo especial. Determine um roteiro, assim os pais também dividirão as tarefas domésticas.

4. LIMITES
Crianças precisam aprender a respeitar o fato de que você precisa de tempo de qualidade para si própria e também como casal. Regras claras sobre comportamento ajudam a prevenir rivalidade excessiva entre irmãos.

5. DISCIPLINA
Sustente suas regras com disciplina se necessário. Use a Técnica do Degrau do Malcriado para comportamentos agressivos ou para brigas constantes. Esteja preparado para separar os pequenos brigões.

6. AVISOS
Uma advertência verbal é parte essencial da disciplina. Permite que a criança tenha a chance de corrigir seu próprio comportamento. Não se apresse para disciplinar uma criança por agressividade ou brigas sem antes dar um aviso.

7. EXPLICAÇÕES
Prepare seus filhos para a chegada de um novo membro na família. Renove a confiança, mas não lhes dê muita informação para que eles não comecem a se preocupar.

8. AUTOCONTROLE
Não exagere suas reações com cada rusguinha. Deixe as crianças resolverem algumas coisas sozinhas, desde que não estejam correndo nenhum risco de se machucarem.

9. RESPONSABILIDADE
Use a Técnica do Envolvimento para diminuir o ciúme. Elogie bastante. Permita que as crianças mais velhas organizem jogos para os mais novos.

10. RELAXAMENTO
Não permita que você acabe abatida ou sobrecarregada. Peça ajuda e tome conta de você como um fato normal da vida. Arranje tempo para a diversão em família.